SUR L'AUTRE RIVE

Du même auteur

AUX MÊMES ÉDITIONS

Le Chercheur d'Afriques
roman, 1990

AUX ÉDITIONS CLÉ (YAOUNDÉ)

Tribaliques
nouvelles, 1972
Grand Prix de la littérature
d'Afrique noire, 1972
Réédité par les Éditions Presses-Pocket, 1983

La Nouvelle Romance
roman, 1976

Sans Tam-Tam
roman, 1977

AUX ÉDITIONS PRÉSENCE AFRICAINE

Le Pleurer-Rire
roman, 1982

HENRI LOPES

SUR L'AUTRE RIVE

roman

à Giles Kennedy,

en souvenir de Columbus

et avec tous mes vœux.

Fraternellement

Columbus / O.S.U

03.06.92

ÉDITIONS DU SEUIL
27, rue Jacob, Paris VIᵉ

ISBN 2-02-016873-1

© MAI 1992, ÉDITIONS DU SEUIL

Jour après jour, s'insinuant en moi à pas de loup, la mer a accompli sa tâche. Elle m'a envahie, a noyé tous les paysages de la mémoire, et les bougies de l'enfance se sont éteintes. Mais on a beau laver son corps, le savonner et le parfumer, l'odeur de la peau finit toujours par remonter.

Ils ont retrouvé ma piste la nuit dernière.

Silencieux et hostiles, ils s'en venaient en procession et entouraient mon lit. Parmi les masques, j'ai reconnu celui de ma mère. Quand j'ai voulu l'embrasser, elle m'a repoussée.

Un avion interrompt ma rêverie sur la terrasse. Il vire là-haut et entame sa glissade, lentement, presque au ralenti, en direction de la piste du Raizet, quelque part derrière le jardin. Il a dû voler toute la nuit. Légèrement cambré, le dauphin du ciel, obèse et docile, termine son numéro. J'arrivai dans l'île par un matin semblable, il y a dix ans.

Je suis sûre que c'est le couple rencontré hier sur le quai qui a exhumé les cauchemars enfouis. Dès que la femme m'a aperçue, l'expression de son visage s'est figée et elle a ouvert la bouche. J'ai eu peur d'être reconnue et j'ai traversé la rue en accélérant mon pas. L'instant précédent, elle riait au soleil, le buste en avant, la tête légèrement renversée, s'appliquant à offrir son profil le plus avantageux à l'objectif de l'appareil. Accroupi, la sacoche en bandoulière, un homme au crâne nu cherchait à la cadrer. Je longeais la Darse. Une coulée de passagers descendait de l'hydroglis-

7

seur qui venait d'accoster en provenance des Saintes. Avec sa tête de forçat et sa chemise en batik, l'homme ne peut passer inaperçu. Malgré la couleur de sa peau, ce couple n'est pas d'ici. Mais je me trompe souvent au jeu des portraits.

Le soleil est déjà haut dans le ciel. Devant moi, la pelouse s'étend jusqu'à la frange de sable farine que vient lécher une mer paresseuse, propre et transparente, où jouent des paillettes d'or. Je resterais des heures entières à la contempler. Mais je dois me secouer. Le festival et les vacanciers ont augmenté notre travail au laboratoire. J'ai dû recruter une temporaire. Mr Jovial, mon collaborateur, est débordé mais répète plusieurs fois par jour que c'est la rançon du succès, que c'est la réussite, que c'est la gloire !...

Ce matin, Rico est sans doute, lui aussi, arrivé en retard au bureau. De ma faute. Avant de partir il avait entrouvert la porte de la chambre, doucement, sans bruit. Malgré le silence et la délicatesse de ses gestes, j'ai senti sa présence et me suis éveillée. Quand il est venu s'asseoir au bord du lit, je me suis suspendue à son cou, je l'ai serré contre moi et j'ai collé mon oreille contre sa poitrine. Sa peau caramel fleurait l'eau de toilette. Il m'a d'abord fait les gros yeux, puis nous avons ri et nous avons roulé dans des draps en désordre.

J'aime sa manière de me faire l'amour. Je ne me souviens pas d'un seul raté.

Mon talon sur ses reins, j'ai voulu le retenir en moi, comme s'il s'agissait de la première fois. J'ai été prise d'une quinte de toux qui l'a expulsé. Nous en avons ri. Il en a profité pour me refaire la leçon sur les méfaits du tabac. Un regard, un baiser rapide sur les lèvres, un autre sur le front et un troisième quelque part du côté de l'oreille ont marqué la fin de notre récréation. J'ai laissé mon athlète au corps glorieux s'en aller au soleil.

La mer a trois couleurs. Transparente comme un aquarium au bord, émeraude plus loin, là où, à marée basse, émergent des kayes au teint de goémon, enfin couleur du ciel au large. Tout à l'heure, quand le soleil sera plus fort, ce seront d'autres nuances, dans les mêmes tons. Et d'autres encore l'après-midi, puis le soir.

Le vernissage de mon exposition aura lieu dans quelques jours. C'est Raymond Cherdieu, un avocat originaire de Marie-Galante, qui a pris en main tous les détails. Collectionneur et homme de goût, il possède un sens inné des relations publiques. Je lui dois beaucoup. Depuis mon arrivée ici, je n'avais peint que quelques toiles, des sortes de gammes pour ne pas perdre la main.

C'est à l'occasion d'un dîner chez nous que Raymond a découvert mes *Trois Commères* sur un mur, dans le couloir en face de la porte de notre chambre. Une étude de corps de paysannes exécutée de mémoire. La scène se passe sur un marché, n'importe où dans un pays d'été perpétuel. Raymond est un amateur qui possède chez lui une des plus belles collections de l'île. Aussitôt conquis, il a voulu connaître le nom du peintre. Confuse et gauche, je me taisais. Rico a dévoilé le secret.

Malgré la fièvre des derniers préparatifs avant le vernissage, ma pensée ne cesse de revenir vers le couple rencontré sur la Darse. Est-ce un simple hasard ou le destin qui m'a conduite hier sur leur chemin ?

L'homme au crâne rasé et à la chemise en batik a une allure d'intrus et un regard de revenant.

A son sourire, j'ai senti que la femme voulait m'aborder. Peut-être une cliente.

Lorsque j'ai traversé la rue, l'homme et la femme se sont de nouveau trouvés dans mon champ. Visiblement intrigués, ils se concertaient en me regardant. Je me suis engagée dans la rue de Provence et j'ai rejoint la rue Frébault par la rue Peynier.

L'exposition aura lieu dans une vieille demeure coloniale, du côté du port. Ce matin, Raymond et moi y avons effectué les dernières vérifications. Crayon à la main, nous avons examiné les moindres détails, réglé les éclairages. Brusquement saisie d'un trac de première communiante, je me reproche d'avoir agi à la légère. Je n'aurais pas dû accepter. J'ai sous-estimé les risques à sortir ainsi de mon anonymat. Est-il bien raisonnable d'exposer les fleurs de mon jardin aux vents du large ? Les dieux se montrent jaloux du bonheur des couples aux sens comblés. Hier, on aurait dit que Raymond Cherdieu avait deviné mes hésitations. Il m'a tapé sur l'épaule, dit une parole de vieux frère, dans un créole énergique et flambant, comme un punch au rhum-vieux bien dosé, puis a levé le pouce, en clignant de l'œil, avant de filer.

Rico et moi le rejoindrons à midi. Nous avons rendez-vous dans un restaurant de la Marina, à Gosier, où il a l'intention de me présenter à une relation de passage. Une Métropolitaine, spécialiste du marché de l'art. Elle aurait lancé deux grands noms parisiens que Raymond m'a cités et que je n'ai pas retenus.

Quand nous arrivons, Raymond nous attend en compagnie d'une brune au teint mat. Ses cheveux noirs, de type asiatique, naturellement brillants, tombent en un voile de soie sur son dos. Ils ne nous ont pas vus arriver. A la petite flamme qui luit dans les yeux de l'Européenne, à l'allure de seigneur pince-sans-rire de notre ami, j'imagine leur marivaudage. Raymond est grand, bien fait, porte des moustaches à la Staline, qu'il laisse déborder sur les lèvres. Au début, je lui trouvais quelque chose de provocateur et d'obscène. Séducteur impénitent, il possède un talent incomparable de négociateur et une santé de fer. Outre cinq enfants, que sa femme élève avec constance, on lui en attribue quelques autres, semés dans plusieurs communes de l'île. C'est, a-t-il coutume de se vanter, le legs d'un sang africain dont il se réclame avec une fierté de patriote.

Solange François, la Métropolitaine au teint mat, est attachée de presse chez Antonioni, ou Visconti, une galerie parisienne de la rue de Seine.

La conversation a commencé par les banalités habituelles. Raymond a d'abord vouvoyé Solange puis, après un ou deux lapsus, s'est simplifié la conversation en passant à un tu qui paraît plus naturel. On dirait deux vieilles connaissances. Elle n'en est pas à son premier séjour dans les îles. Elle est déjà venue à Saint-Martin, juste pour quelques jours.

Elle dit, en traînant sur le *o*, qu'elle adore les Antilles.

Les traits du visage dessinés avec perfection, l'œil intelligent, un bandeau dans les cheveux, elle est vêtue d'une robe débardeur en toile blanche, à fermeture coulissante à l'avant. Ses épaules ont un teint qui rappelle celui des métisses de chez moi. Il ne faudrait pas la peindre mais la photographier. Je l'imagine en noir et blanc, à contre-jour.

Des demi-lunes sur le bout du nez, le ton professoral, Raymond entame avec le patron du restaurant un dialogue de connaisseur sur les différents plats de la carte. Solange avale son verre de punch et toussote comme si elle venait de croquer un pili-pili par mégarde. Raymond lui tapote le dos. Pour nous rassurer, elle nous sourit entre ses quintes de toux.

11

– Raymond m'a montré vos toiles, madame. Elles donnent envie de vous connaître.

Je lui demande de m'appeler par mon prénom, Marie-Ève.

Elle s'interrompt un moment parce qu'elle ne veut pas parler la bouche pleine. Je cherche une cigarette et ma main tremblote en l'allumant.

– C'est bizarre...

Elle s'adresse à moi d'une voix douce comme si elle voulait limiter la conversation à nous deux. Effarouchée, je me tamponne les lèvres de la serviette.

– ...Vos tableaux m'ont fait penser à un peintre africain.

Elle a dû se rendre compte que je n'ai pas pu soutenir son regard. Après avoir avalé une autre bouchée, elle se passe une langue délicate sur les lèvres. Je souris avec maladresse tandis qu'elle apporte une précision : il s'agirait d'une femme.

– Oui, une Congolaise.

– Vous voulez dire une Zaïroise ?

Je sens ma voix trembler.

– Non, une Congolaise. Du Congo-Brazza.

D'habitude, les gens confondent toujours. J'ai bu une gorgée de vin et félicité Raymond pour son choix.

– Château-rieussec 79, a-t-il clamé.

Elle l'a regardé avec affection et il lui a posé la main sur l'épaule.

– Toujours le bon choix, ajoute Rico. Il sait où dénicher les plaisirs et humer les parfums délicats.

– En tout cas, un goût sûr en matière de toiles.

– Pas seulement, reprend Rico. Dans tous ses choix.

Et il le surveille ironiquement par-dessous ses sourcils. Hypocrite, Solange fait semblant de ne rien entendre, baisse les yeux et, l'auriculaire levé, plante un minuscule trident dans la chair de la langouste.

Sous la table, j'ai flanqué un coup de pied dans la cheville de Rico qui fronce le sourcil et plonge le nez dans son assiette pour ne pas pouffer.

– Moi, je trouve ça extraordinaire, déclare Raymond en s'écoutant parler et esquissant un mouvement de manche. Extraordinaire que ta peinture puisse évoquer un peintre africain.

– En fait, *une* peintre. On dit bien *une* peintre, s'pas ?

– Peu importe.

– Attention, ... ça a son importance.

Ici, la conversation prend un tour mondain sur les féministes et le vocabulaire. On s'arrache la parole à qui mieux mieux, on bouge la tête de droite et de gauche, on s'arrête un moment de mastiquer, et le tout s'achève dans un éclat de rire bruyant. Après une gorgée de vin, Raymond se souvient d'une anecdote sur le même thème et évoque sa collègue Gisèle Halimi, très pointilleuse, selon lui, sur ce genre d'accord. Intéressée, Solange veut savoir s'il connaît l'avocate, ce qu'il confirme avec négligence : ils ont ensemble défendu la cause d'un indépendantiste.

– Effectivement, sensationnel ce château-rieussec !

Solange prend la bouteille par le goulot et la tourne pour bien lire l'étiquette.

– Y a des femmes peintres en Afrique ? demande Rico.

– Absolument.

Et Solange cite quelques noms arabes.

– Ça c'est pas pareil, c'est l'Afrique du Nord.

– Ah, pour moi l'Afrique...

– Oui, mais...

Raymond, qui n'arrive pas à exprimer la nuance appropriée, esquisse une grimace d'irritation.

– C'est pas... la même chose.

– Et puis, ... y a cette Nigériane.

Du regard, Solange appelle Raymond à son secours.

– Connais pas.

– Si, voyons, elle a fait un tabac l'année dernière à Londres.

Raymond hausse les sourcils et secoue la tête, continuant à mâcher son colombo avec appétit.

– A moins que ce ne soit une Ghanéenne. Horrible, dit-elle avec coquetterie, je dois avoir cela dans mes papiers, à l'hôtel.

Tandis que la conversation s'égare à nouveau sur des futilités, je me recompose une contenance.

– Tu ne trouves pas ça sensationnel, toi ? clame Raymond.

Il y a quelque chose de snob dans sa manière de dire son émerveillement. Ses *r* sont si bien prononcés, à la parisienne, que son accent sonne artificiel.

– Tu ne trouves pas ? répète t-il.

– Quoi ?

– Ben, que ta peinture évoque celle d'une Congolaise.

– Pas du tout... C'est de là-bas que nous venons, non ?

– Ou de Guinée.

Silence.

– ... Et comment s'appelle-t-elle donc ?

Je me suis arrêtée de mastiquer comme si je venais de sentir une arête. J'ai tiré sur mon mégot avant de l'écraser nerveusement dans le cendrier.

– Ça j'ai oublié. C'était il y a dix, ... attendez, non douze, ... oui, douze ans.

Un rapide calcul mental et je m'évade dans des souvenirs douloureux, ne suivant plus leur papotage que d'une oreille distraite.

Solange était en voyage, là-bas, avec son mari, directeur d'une compagnie de pétrole. Au cours de leur visite, le représentant local d'Elf les avait reçus dans sa villa aux murs tapissés de tableaux, tous peints par des Congolais. Une véritable exposition. Solange évoque la réception avec des mots si justes que je ne sais plus si j'écoute et découvre ou bien si je me souviens. On dirait que j'ai vécu, moi aussi, jadis, quelque part, la même soirée.

Malgré le goût amer du tabac à cette heure de la journée,

14

j'ai besoin d'une autre cigarette pour dissimuler mon malaise.

– Un talent !... Quelque chose d'une sauvagerie fascinante (Solange en ferme les yeux). Une inspiration forte ! Des toiles auxquelles il manquait peu, très peu de chose, pour qu'elles fussent de véritables chefs-d'œuvre... J'ai demandé à faire sa connaissance, mais...

Solange baisse la voix.

Une histoire étrange. L'auteur des toiles aurait disparu, noyée, si j'ai bien compris le récit de Solange, ou bien dissoute dans l'atmosphère par un de ces phénomènes inexplicables, comme il en abonde par là-bas, et qui relèvent de mystères dont seuls les sorciers connaissent le secret.

– Ne s'agirait-il pas d'une supercherie ?

Tous les regards se tournent vers moi et je voudrais ravaler ma question.

– Que voulez-vous dire ?

La fourchette suspendue, Solange a l'air contrariée et je bats en retraite.

– Oh, sais pas... Ces toiles avaient peut-être tout simplement été peintes... par... par un homme.

J'ai accompagné mon propos d'un geste disgracieux et me suis remuée sur ma chaise, à la recherche d'une position confortable. Le visage rembruni, Solange finit de mâcher le morceau dans sa bouche.

– Par un homme ? Dans quel but ?

Elle se remet à mastiquer sa langouste tandis que je développe en bafouillant un raisonnement filandreux. Rico me vient en aide en argumentant et en citant des exemples littéraires.

– Non.

Elle a un ton calme et un timbre de voix agréable.

– Discrétion en Afrique ? s'esclaffe Raymond. On voit que vous ne connaissez pas ces pays. Un nègre, offrir à une femme la gloire de son succès ?...

15

Il ricane et secoue la tête de droite à gauche comme s'il venait d'entendre une bonne blague.

– Non, reprend Solange d'une voix apaisée, notre hôte connaissait cette femme. Je le garantis. C'est directement à elle qu'il a acheté les toiles. Je suis formelle sur ce point.

Elle hoche la tête plusieurs fois et a de la main un geste féminin et sec, comme si elle apposait une signature sur un document.

– Vous souvenez-vous de son nom ?

– Attendez...

Je demande une cigarette à Solange et Rico me regarde avec étonnement, car j'en suis à ma deuxième et je n'ai pas l'habitude de fumer au cours des repas. Solange plisse les yeux comme une voyante déchiffrant des cauris jetés sur le sable.

– Elle signait M. A.

– Emma ?

Je dois m'y reprendre à plusieurs fois pour allumer ma cigarette et Raymond me vient en aide en me tendant la flamme de son briquet.

– Oui, M. A.

– Comme Bovary ?

Solange sourit, hausse les épaules et pousse un soupir à peine perceptible.

– Non. Des initiales.

Et elle explique quelque chose que je perds en raison d'un moment d'inattention.

– Il est toujours à Brazzaville ?

Je pose mes couverts dans mon assiette. Je n'ai plus faim.

– Qui ?

– Le représentant d'Elf, bien sûr.

– Non. Hélas, non ! Il est mort !... Une crise cardiaque.

Je bois une gorgée de château-rieussec et tire sur ma cigarette. Malgré la climatisation, je suis envahie par une bouffée de chaleur et dois quitter la table.

A mon retour, Rico m'interroge du regard et je le rassure d'une expression des yeux.

Maintenant, ils échangent des opinions sur des peintres contemporains dont les noms ne me sont pas inconnus mais sur lesquels je ne possède qu'une idée vague. Après un silence et quelques appréciations sur la cuisine, Raymond relance la conversation sur le peintre congolais. Je le maudis. Solange raconte, en s'écoutant parler, comment la veuve du représentant d'Elf s'est débarrassée des tableaux. Tous brûlés. Par superstition. Je n'ai pas compris ce qu'elle sous-entend. Où réside la superstition ? Mais ce n'est pas à moi de poser les questions. La gorgée de château-rieussec que j'ai avalée à ce moment-là m'a paru particulièrement délicieuse.

M.A. serait partie un matin de bonne heure se promener dans les environs de Brazzaville, du côté des rapides du Djoué, et, depuis lors, plus personne ne l'aurait jamais revue. Seuls sa voiture et quelques effets personnels ont été retrouvés sur le sable. Les uns parlent de suicide, les autres de noyade, d'autres encore de fuite à travers la frontière du Zaïre, les plus nombreux de dissolution dans l'atmosphère.

Insensiblement, une gorgée après l'autre, j'ai bu plus de vin qu'à mon habitude et la tête m'en tourne.

Le garçon vient rôder autour de la table pour retirer les assiettes, mais Rico n'a pas fini. Il s'attarde à sucer la tête de son poisson. Raymond le taquine et parle en le montrant du doigt de vrai *Nèg'Congo*. Rico est toujours lent à manger. Chaque bouchée est un plaisir qu'il aime prolonger. Je ne peux m'empêcher de lui passer la main sur la nuque.

Après le repas, il faisait dehors une température d'étuve. Solange, Raymond et Rico sont restés quelques instants à bavarder, debout sur la véranda du restaurant. Dans le fond du décor, les yachts luxueux de la Marina donnaient un air de Riviera et de vie facile. Raymond a conseillé à Solange d'aller se reposer. Il a parlé de la sieste, d'abord en termes médicaux, puis, rationalisant son propos, en a fait la clé de voûte d'un art de vivre et d'un système philosophique sophistiqué. Moi, j'avais envie d'être seule et de faire le vide en moi. Peut-être de peindre. Mais il fallait passer au labo.

Rico était obligé de filer à un rendez-vous avec des clients à qui il devait présenter la maquette d'un projet à implanter dans la zone de Jarry.

Avant de nous séparer, il m'a prise dans ses bras. Il me trouvait nerveuse et m'a dit de ne pas me tourmenter ainsi ; le vernissage serait un succès. Il m'a rappelé le besoin de fixer notre date de départ en vacances. Je n'arrivais pas à prendre une décision. Raymond, qui croyait que nous minaudions, nous a lancé un proverbe créole malicieux puis m'a invitée dans sa voiture avec Solange.

Malgré leur soin à ne pas laisser tomber la conversation, des petits riens m'avaient indiqué dans la voiture que Raymond et Solange souhaitaient se retrouver seuls. Et, puisqu'un embouteillage ralentissait la circulation, j'ai demandé à Raymond de me déposer à l'entrée de la rue Frébault. Bonne occasion pour faire un peu d'exercice. On devrait interdire le centre de Pointe-à-Pitre aux véhicules. Dans les artères de la vieille ville, je déchiffre l'histoire de cette ancienne colonie, telle que Rico me l'a enseignée. Un jour, il faudra consolider tout cela par de bonnes lectures. Habitations en bois d'anciens propriétaires d'esclaves, demeures plus modestes et plus récentes de bourgeois et d'affranchis, coincées les unes contre les autres, où chaque rez-de-chaussée abrite une boutique sombre, où les marchandises sont empilées dans un fouillis indescriptible et sentent la naphtaline. Elles évoquent les échoppes des Portugais, Grecs et Libano-Syriens de chez nous. Les maisons coloniales aux toits de tôles rouillées et bordés d'une frise dentelée ont toutes été construites sur le même modèle. Chacune est pourtant distincte de sa voisine. Ce soir, des vieilles mulâtresses décharnées, qui protègent leur peau des effets du soleil, s'accouderont aux balcons et traîneront un regard mélancolique et résigné sur la chaussée décongestionnée. Je voulais en profiter pour passer dans la boutique de Maddli prendre connaissance de ses derniers modèles. Je n'ai rien à me mettre pour le vernissage.

19

C'était l'heure où l'air brûlant commence à tiédir. Des adolescents sortaient par groupes du lycée Carnot. J'ai essayé de comprendre les plaisanteries que les garçons lançaient en créole aux filles sur le trottoir opposé mais ils parlaient trop vite pour moi. Continuant leurs conversations en chuchotant, les filles faisaient mine de ne pas entendre, ne pouvant toutefois réprimer un discret sourire de plaisir.

Solange prétend que c'est la lecture d'une critique qui l'a décidée à faire un détour dans l'île pour prendre connaissance de mes tableaux. Je n'en crois pas un mot. Un alibi plutôt pour une semaine d'aventure avec Raymond dans ce décor de lumière et de palmiers. A moins qu'elle aussi soit sur ma trace... Car, hormis les platitudes de *France-Antilles* et un article démesurément élogieux d'*Antilla,* je n'ai guère bénéficié des honneurs de la presse spécialisée. Quelle revue parisienne prêterait attention à mes croûtes ? Les quelques critiques qui par hasard s'intéressent à nous ressemblent à des entomologistes.

Au coin des rues Frébault et Carnot, un rasta en guenilles tente d'accrocher les passants d'une voix sourde en recommençant pour la énième fois à déballer, à ranger et déballer encore un trésor de guenilles et d'objets hétéroclites ramassés dans une décharge. Ses nattes poussiéreuses, nouées comme des cordes crasseuses et effilochées, sont aussi repoussantes que des serpents. J'ai peur que ce spectacle n'alimente les cauchemars qui me reviennent depuis peu. Il arrive à ce vagabond d'arpenter les artères du quartier en déclamant en créole une histoire incohérente où il s'en prend à un certain Mazarin, qui lui aurait ravi sa femme. Ses crises éclatent généralement aux périodes de la pleine lune. Rien de dangereux. A l'occasion seulement, quelques tirades enflammées qu'il offre aux passants et aux riverains du quartier. Enfant, Rico l'a connu. Il était marin sur le *Delgrès,* qui assurait alors la ligne entre Marie-Galante et Pointe-à-Pitre. Sa femme est partie en semant

20

sur son passage la rumeur de son impuissance. Elle vivrait aujourd'hui en Métropole d'où elle n'est jamais revenue. Rico a également connu le fameux Mazarin. Chaque fois, je donne la pièce au malheureux. Un jour, je le mettrai sur une toile.

Dès qu'elle m'a vue franchir le pas de sa porte, Maddli s'est excusée et a laissé à son employée le soin de s'occuper d'une cliente indécise. Maddli m'accueille en me faisant la fête. C'est comme si je lui rendais visite à la maison. Nous avons d'abord papoté. Elle pourrait passer des heures à s'enquérir de vous sans rien dire d'elle-même. Elle a envers moi des attentions si spontanées qu'on dirait que nous nous connaissons depuis des lustres. Je dois mettre fin à son badinage en lui tapant gentiment sur la main.

– Montre-moi tes nouveautés.

Finalement, je n'ai pu résister. En plus d'une robe de cocktail dont j'avais besoin pour le vernissage, je me suis laissé tenter par trois ensembles. Maddli m'assure que je ne regretterai pas mon choix. Elle fait de moi une description qui ressemble à celle de Cendrillon, la nuit de sa gloire, puis m'accorde quelques jours de remords, au cas où les modèles ne plairaient pas à Rico.

De là, je suis passée à la librairie pour faire ma provision de journaux. Une promenade rituelle qui ressemble à celle que j'effectuais là-bas, chaque soir, quand je me rendais à la librairie, sous les arcades de l'avenue Foch, en face du *Pam-Pam*. Et chaque fois, je me posais la même question. Quelle force me poussait donc vers les journaux de France ? Était-ce une manifestation de perte de mon âme, ou bien la quête d'un complément nécessaire à mon équilibre, une appétence d'être totalement moi-même ? J'avais déjà besoin de partir. Mais aujourd'hui encore, sans ce regard au-delà des mers, je finirais par m'étioler comme les mulâtresses qui le soir se mettent à leur balcon.

Un détail piquant. Les deux librairies de Pointe-à-Pitre se font face et leurs deux propriétaires sont mes clients. J'ai couvert le reportage photographique du mariage du fils de l'un, et l'autre fait régulièrement appel à moi à l'occasion de séances de signatures qu'il organise en l'honneur d'écrivains de passage ou du pays. La dernière fois, ce fut quand vint Jorge Amado. Zélia, sa femme, me concurrençait. Bref, je veille à me montrer régulièrement aux deux endroits.

– Madame Saint-Lazare, m'interpelle un vendeur, votre livre est arrivé.

Un volume épais sur l'influence de l'art nègre dans la peinture contemporaine, que j'avais commandé il y a plusieurs mois.

Sur la vitrine, derrière la caissière, une affiche indique que se déroule actuellement une quinzaine culturelle sur le thème de la diaspora nègre. Rico a plusieurs fois manifesté le désir d'y assister mais nous n'avons cessé d'être accaparés, lui par son projet pour la zone de Jarry, moi par les préparatifs de mon vernissage. C'est pourquoi il aspire à partir en vacances. Comment lui dire que j'ai peur des départs qui rappellent les voyages de noces ?

Je ne lui ai jamais parlé de Libreville.

Retenu par un client, Raymond n'a finalement pas pu se rendre à la galerie où nous avions rendez-vous et m'a demandé de passer prendre Solange à l'hôtel. Durant le trajet, nous avons parlé de l'île. La Métropolitaine s'enthousiasme du teint d'un hibiscus, de l'éclat d'un flamboyant, du dessin d'une véranda coloniale, du pas nonchalant des négresses qui marchent, une charge en équilibre sur la tête. Elle assure que nous savons vivre, nous. Le commentaire désabusé que je formule en réponse ne modère pas son enthousiasme. Elle insiste et développe. Leur civilisation serait malade. Elle affirme notre supériorité, notre art de vivre, elle envie notre bonheur... Notre propos était haché, fréquemment suspendu par les épisodes toujours répétés, et chaque fois inattendus, de la circulation dans Pointe-à-Pitre.

Solange a d'abord tenu à faire seule le tour de l'exposition. Je n'ai pas eu de mal à me trouver une occupation. J'avais à faire. Mais, furtivement, je jetais, de temps à autre, un regard tricheur et inquiet dans sa direction. Elle s'est longtemps arrêtée devant *La Foule,* s'est reculée, a noté quelque chose avant de poursuivre son inspection. Anxieuse, je la voyais s'approcher du tableau, le renifler, se déplacer pour changer d'angle, se retourner pour évaluer l'éclairage, se rapprocher encore avant de continuer en direction de la toile suivante, s'arrêtant quelquefois pour griffonner de mystérieuses notes sur les feuillets d'un carnet à spirales. Je regrette qu'elle se soit contentée de survoler certains tableaux.

Quand Raymond nous a rejointes, il n'a pas voulu la déranger. Il a esquissé un sourire ironique comme s'il se retrouvait en présence d'une manie bien connue. A la fin de son inspection (de son « rituel », m'a chuchoté Raymond d'un air moqueur et complice), Solange est revenue vers nous. Raymond et elle se sont embrassés. Elle a déploré l'éclairage de *Kaye Plate* et Raymond a dû lui expliquer les difficultés matérielles qu'il avait fallu affronter. Elle m'a invitée alors à faire le tour de l'exposition avec elle. Devant chaque tableau, je fournissais des explications comme si j'avais peur du silence.

Mon expression était pauvre et maladroite. A plusieurs reprises, je n'ai pas su terminer mes phrases. J'aurais eu besoin de Rico. Lui sait mieux dire mes tableaux que moi. Raymond a compris mon embarras et a joué avec bonheur les guides cultivés. Hochant quelquefois la tête de manière à peine perceptible, Solange demeurait de marbre. Par la suite, je me suis contentée de fournir des détails anecdotiques sur la scène, des informations factuelles sur le paysage, sur une coutume ou un procédé technique. Mais là encore, même dans les explications les plus concises, je me suis trouvée gauche. J'aurais dû me taire. Je manquais de vocabulaire. Et puis, un tableau ne parle-t-il pas de lui-même ?

Avec la volubilité et l'empressement d'un vendeur qui veut placer sa marchandise, Raymond a tenu à faire découvrir à Solange quelques toiles que nous n'avions pas retenues pour le vernissage. L'esprit ailleurs, elle suivait d'une oreille distraite. J'ai eu le sentiment d'appartenir à une caste inférieure et je l'ai maudite. Elle a brusquement voulu revenir devant *La Foule* et m'a proposé d'en modifier le titre. Selon elle, *Les Danseurs* conviendrait mieux. A cause

du rythme dans les lignes et les couleurs. Elle a effectivement perçu ce que je cherchais à exprimer. Mais je n'ai pu
refréner un sourire un peu sot. Une fois encore, Raymond a
su tout redresser grâce à son talent de cabotin de grand
style.

— A la limite, les tableaux n'ont pas besoin de titre.
Comme les œuvres musicales, on pourrait se contenter de
leur donner des numéros.

Une conversation s'est ensuivie et j'ai admiré les arguments des deux parties. Je croisais les doigts et cherchais à
toucher du bois pour qu'on ne me demande pas mon avis.
Si je n'ai aucun mal à suivre ces développements brillants,
je n'ai pas assez réfléchi à tout ça, moi. Raymond, de sa
haute taille, roulait de gros yeux et ses moustaches le faisaient vraiment ressembler à un Staline nègre. Leur conversation s'est terminée par une plaisanterie et Solange a pris
la main de Raymond, qu'elle a serrée très fort. J'ai eu le
sentiment qu'elle se retenait pour ne pas l'embrasser.

— Je ne souhaite pas qu'on vous achète celle-là, a-t-elle
dit.

— Le meilleur moyen, c'est de l'acquérir toi-même, lui a
lancé Raymond.

Solange n'a pas relevé. Scrutant la toile, un sourcil légèrement rehaussé, elle semblait rechercher une imperfection
ou une maladresse que seul un connaisseur aurait su déceler. J'ai toujours peur qu'on me signale une faute technique.
J'en disparaîtrais sous terre. Je n'ai jamais appris ce métier
et je lis si peu les revues d'art !... Elle a finalement avancé
une lèvre admirative en hochant la tête.

— Ce serait superbe pour un vernissage à Paris.

Elle en prend une autre dans ses mains qu'elle considère
en tendant les bras.

— Pas de titre à celle-ci ?

— Pas encore.

— Elle me semble pourtant achevée.

25

Un plan moyen sur trois visages de femmes. Une négresse au teint d'Ouolof, une mulâtresse aux yeux légèrement bridés et aux cheveux d'indienne, une chabine aux yeux châtains. Elles s'entretiennent un après-midi de grosse chaleur, à l'ombre d'une véranda. A mon avis, quelque chose reste à mettre au point dans l'équilibre général. Il s'agit d'une toile recomposée de mémoire. Dans sa version originale, je l'avais intitulée *Les Trois Ndoumbas*. Commencée à Brazzaville, je l'avais terminée à Libreville. Elle a brûlé dans le tas que j'ai détruit pour effacer mes traces, la veille de mon départ... Par l'ambiance et le décor, il y a un emprunt à Gauguin que personne n'a encore découvert. Bien qu'il s'agisse de femmes du peuple, peut-être des doudous, maîtresses de quelques fonctionnaires, j'ai veillé à déposer dans les yeux l'étincelle de l'intelligence. Ce n'est pas Raymond, mais bien moi, qui ai refusé de l'exposer.

– Méfiez-vous, m'avertit Solange, à trop vouloir le lécher on finit par faire du mal à son tableau.

Je le sais bien, mais...

Je voudrais qu'on reconnaisse, au premier coup d'œil, la lumière des îles à l'heure de la sieste. Peut-être aussi ai-je peur que ce tableau ne rappelle son prototype, exécuté dans ma première manière... jadis dans une vie antérieure.

– Vous auriez même pu l'utiliser pour l'affiche de l'exposition, estime Solange, avant de le reposer sur la table, et de se reculer pour le considérer une fois encore sous un autre éclairage.

Ce matin, en revenant de courses, je les ai aperçus à l'instant où ils sortaient de mon laboratoire. D'humeur joyeuse, ils plaisantaient à la manière des gens pour qui la vie est belle et sans souci. En descendant la marche, la femme a regardé sur sa gauche, dans ma direction, mais ne m'a pas vue, ou ne m'a pas reconnue, sans doute à cause de mes lunettes noires et de mon chapeau. Mes tresses doivent aussi la désorienter. Là-bas, j'avais des cheveux courts, coupés à la garçonne.

Ils ont pris la direction du marché Saint-Antoine. Ils flânaient à quelques dizaines de mètres devant moi. J'ai ralenti mon pas. L'homme portait une chemise de batik d'une couleur différente de celle de la veille. Un de ces tissus que les Africaines affectionnent pour leurs pagnes. Il a passé la main autour de la taille de la femme, et elle a collé son flanc contre le sien.

Je suis restée un moment à les observer. La démarche de la femme est lente et paresseuse. Les Antillaises n'osent pas chalouper avec autant de provocation. Et l'étrangère possède un pas bien particulier qui me rappelle celui d'une connaissance que je ne parviens pas à déterminer.

Quelques instants après, Mr Jovial m'a dit qu'un couple venait de passer et avait demandé si le magasin n'appartenait pas à une Africaine, parce qu'ils connaîtraient, à Abidjan, un laboratoire de photo à la même enseigne. Je n'ai pas relevé et me suis dirigée vers mon bureau, mais Mr Jovial y a vu l'occasion de faire quelques commentaires ironiques sur les Africains. Sur le ton de la plaisanterie, je l'ai repris en lui rappelant d'où nous venions. Il s'est alors vanté d'une goutte de sang nègre mais en a profité pour souligner ses origines fondamentales. Je les sais par cœur. Sa grand-mère aurait été une Caraïbe aux longs cheveux soyeux, et son grand-père un Alsacien aux yeux bleus. Un frère émigré au Brésil en aurait même, affirme-t-il, hérité. Mulâtre au teint de miel clair, Mr Jovial veille à ne pas s'exposer au soleil. Quand il s'aventure sur la plage, c'est en pantalon, chemise à manches longues et chapeau panama.

Pendant qu'il répondait à un client, je me suis emparée des films qu'on venait de déposer dans le panier en plastique. Je n'ai pas eu de mal à trouver les bobines que je recherchais. Aucune méprise possible, leurs propriétaires sont bien des Africains. Un nom fang. Sûrement des Gabonais ou des Camerounais. Encore qu'on trouve ce patronyme aussi chez certains Congolais, dans la région de la Sangha.

Je développerai moi-même ces pellicules.

Encore un cauchemar la nuit dernière. Dans un pays sans nom, des faces cireuses m'apostrophaient en lingala. Certaines d'entre elles étaient déjà venues la veille. J'ai reconnu des visages oubliés.

Anicet était du nombre. L'œil dément, il proclamait d'une voix exaltée qu'il fallait vite sacrifier car, avec le crépuscule, allaient s'en revenir les escadrilles de moustiques et de guêpes. Le sable était chair de coco, comme celui de la plage de Saint-François et, sur l'autre rive, saillait la berge verte et escarpée qu'on pouvait toucher de la main. Le mont Ngaliéma, m'a-t-il semblé. Mais le décor a mué dans un fondu brumeux. Au milieu, les eaux bouillaient et lançaient des gerbes de neige qui s'évaporaient dans l'atmosphère. Brisé, la proue sur les rochers de l'île du Diable, la poupe enfoncée dans les eaux, un paquebot était encore illuminé de feux qui clignotaient dans un appel de détresse.

Anicet a ressemblé à Yinka et, du ton hystérique d'un démagogue juché sur une estrade, a affirmé que l'épave était le squelette d'une femme.

Le tam-tam battait le rythme du matanga, le rythme des veillées mortuaires. Un rythme saccadé du pays kongo haché par les trilles d'un sifflet de policier.

D'une voix de bateleur, Anicet criait à tous vents que la Mami Wata n'était pas morte ; qu'elle était allée seulement se cacher derrière les rochers de la plage pour mettre bas,

29

suivant la coutume, des tortues jumelles ; que les pêcheurs du village Mafouta avaient aperçu un lamantin en fuite ; que l'animal avait abandonné dans sa précipitation des toiles de couleurs anglaises saupoudrées de pidgin. Un chasseur égaré avait retrouvé ses œufs derrière les rochers de l'île du Diable.

Épuisée, je m'étais allongée sur le sable, soulagée d'avoir échappé à la meute. J'ai senti un objet baveux se faufiler sous moi comme pour pénétrer dans mon pagne et j'ai hurlé un appel au secours.

Inquiet, Rico m'a réveillée.

– Hein... pardon... Rien, ce n'est rien : un rêve. Un rêve absurde. Un rêve d'hier...

– D'hier ?

Il m'a prise dans ses bras et m'a serrée très fort.

– Tu as bien fait de me réveiller. J'étouffais dans mon sommeil et je ne pouvais plus remuer, même pas ouvrir la bouche. Si tu ne m'avais pas aidée, je suis sûre que je serais morte.

– Pauvre ! C'est l'exposition qui te travaille. Allons, tu verras, tout se passera bien.

Il était un peu plus de trois heures du matin. Il fallait dormir. La poitrine de Rico exhalait un parfum discret et troublant. Je l'ai embrassé dans le cou, là où les poils de la barbe cessent de piquer, et il m'a couverte de son corps. Jadis, je n'étais pas libre dans l'expression de mon affection.

– Et puis, hier, a-t-il ajouté, je voyais ça, tu as trop fumé.

Alors a retenti un roulement de tonnerre et la branche d'un palmier remuée par le vent a gratté le toit de la maison avec un grincement à en agacer les dents.

Le vent, qui dehors faisait murmurer les arbres, et l'odeur de terre mouillée ont réveillé en nous le goût des jeux sans retenue. Et nous fûmes soudain deux jeunes fauves aux sens excités sous l'empire de la lune.

Rico a été merveilleux, prolongeant et répétant mon plaisir jusqu'à l'épuisement.

Doucement, j'ai de nouveau glissé dans le sommeil avec les premières gouttes de la pluie qui tintaient sur le toit.

Ce soir, Rico dîne avec les promoteurs de la zone de Jarry. J'en profite pour mettre à jour la comptabilité du laboratoire, faire le point des stocks et passer les commandes. Je n'ai pas senti couler les heures.

J'aurais voulu voir les photos des Africains. Trop bousculée pour trouver le temps de les développer moi-même, j'ai confié ce travail à la temporaire. Je ne sais où elle les as rangées.

Quand j'ai téléphoné au restaurant, Rico m'a dit qu'ils en étaient au dessert. Nous nous sommes donné rendez-vous dans un snack tenu par un Libanais. Toujours contenue, sa voix laissait percer une gaieté que la tension de ces derniers jours avait effacée.

Il est quasiment acquis maintenant que Rico et son associé vont obtenir le marché. Le groupe semble renoncer au concours qu'ils envisageaient.

Malgré la brièveté de la conversation téléphonique, il m'a rappelé qu'il attendait ma décision à propos des vacances. Il fallait choisir entre la France et un pays de la zone.

Je n'ai pas envie de revoir l'Europe. Comme disait Félicité, c'est encore la « banlieue » de chez nous... Rico a hésité entre Saint-Martin, le Venezuela ou la Floride. Je n'avais aucune idée. Je n'ai jamais réfléchi à tout cela, je n'ai pas appris à préparer des vacances. Et tout se passe comme si cette perspective provoquait une nausée en moi.

L'origine de cette phobie a sans doute quelque chose à voir avec le séjour à Libreville.

J'ai opté pour les Caraïbes, comme on choisit des chiffres à un jeu de hasard. Peut-être aussi parce que Rico m'avait décrit une croisière comme si c'était lui qui en avait imaginé le trajet pour l'agence de voyages. J'ai pourtant horreur des vacances en groupe. Mais Rico m'a dit que j'étais victime de préjugés et il m'a vanté la formule Club Méd. J'ai fait la grimace et j'ai eu peur qu'il ne sorte de ses gonds. Il a poursuivi avec ce calme et cette concentration d'où il tire, à mon avis, son énergie et sa puissance.

Finalement, nous partagerons nos trois semaines entre La Barbade et Trinidad. Reste la date.

Rico était curieux de connaître les réactions de Solange devant mes tableaux. Malgré l'heure, et la fatigue accumulée dans la journée, il a trouvé mon compte rendu trop rapide et m'a pressée de questions. Chaque tableau, chaque spot était-il à sa place ? Il a pour sa part fait procéder à des vérifications. Son assistante l'a rassuré : tout le monde avait bien reçu les cartes d'invitation. Plusieurs journalistes ont confirmé leur présence, y compris la télévision. Rico s'est entretenu lui-même avec le directeur de la station de RFO. Quant au cocktail, aucune inquiétude. Nous avons, sur recommandation de Raymond, fait appel au meilleur traiteur de l'île.

Une fois encore, Rico est revenu sur les réactions de Solange. Je n'en disais pas assez à son goût. C'est que je déteste les longs comptes rendus et suis une médiocre conteuse. J'ai toujours peur de sombrer dans le bavardage, de me répéter ou d'aligner des évidences.

— Tu sais, ai-je gentiment protesté, elle est bien gentille avec sa galerie Antonioni, ou Visconti, je ne sais jamais... mais ce qui compte, c'est ce qui va se passer demain, ici.

— Tout ira comme sur des roulettes, ma chérie.

C'était affirmé avec la vigueur et l'assurance d'un entraîneur sportif avant le match.

33

– Pour le moment, a poursuivi Rico, l'île n'a connu que la peinture mièvre et exotique des Békés. Une autre forme de doudouisme ! C'est la première fois qu'on va sentir le regard du nègre sur le nègre. En regardant tes paysages, ce sont eux-mêmes que les Antillais vont découvrir.

Il exagère. Rares sont les Antillais qui se reconnaissent dans une toile. Je ne parle pas seulement des miennes mais d'une façon générale. Comme aux Africains, la peinture leur demeure une langue étrangère, tant qu'elle ne cherche pas à imiter la photographie. Mais je n'aime pas contredire Rico. C'est comme si je craignais que la plus insignifiante divergence entre nous fasse un accroc à notre histoire. Il a eu un mouvement de dédain de la main et a déclaré que, pour réussir, les artistes devaient savoir se montrer égoïstes et ne pas se laisser ensevelir sous un excès de modestie. Il a développé tout cela à la manière d'un professeur, du maître que je n'ai jamais eu.

– Ce qui m'intéresse, Rico, c'est d'être comprise ici.

J'ai dit cela sur un ton de confidence et me suis faite câline en me pelotonnant dans ses bras. J'aime l'odeur de sa peau. Il m'a serrée contre lui et j'ai fermé les yeux pour que ça soit plus fort encore.

– Ça ne suffit pas, ma chérie.

Il n'avait pas besoin de forcer sa voix. Elle était grave et sonore, puissante comme lui-même.

– Pourquoi toujours cette recherche d'une distinction parisienne ? C'est la reconnaissance des nôtres dont j'ai besoin.

– Parce que aucun artiste n'est prophète en son pays. Ici, la vie est succulente avec son goût de litchi et de quenette mais...

Il s'est lancé dans un raisonnement réaliste difficilement réfutable. Il a parlé avec des mots simples, d'une voix qui souvent susurre en moi-même mais dont j'ai honte.

Il ne me lâchait pas et c'était bon de se laisser bercer dans ses bras, de sentir la fermeté de ses muscles.

– L'art patriotique n'est pas de l'art.

– Si tes amis politiques t'entendaient, ai-je murmuré en lui faisant de petits yeux.

– C'est parce que...

Sa voix avait pris le timbre de ceux qui récitent un poème de mélancolie ou de douleur. Le mélange des odeurs de sa peau et de son eau de toilette m'a enchantée.

Un avion qui décollait du Raizet a couvert le chahut des criquets dans la nuit.

Solange ne comprend pas pourquoi je ne signe pas mes travaux de mon prénom, Marie-Ève, que beaucoup prononcent en escamotant le trait d'union : Mariève. Comment lui expliquer l'histoire et la raison de mes différentes identités ? Quand je tente d'élucider tout ça, j'en perds, moi aussi, le fil conducteur et finis par me moquer de moi-même.

Longtemps, je fus Madeleine. Déjà, c'était un maquillage. Car c'est sous le prénom de Marie-Madeleine que je figure dans le registre de l'état civil de Madingou. J'ai supprimé Marie quand père a obtenu sa mutation pour Brazzaville. Je voulais ainsi mettre un terme aux quolibets dont j'étais l'objet depuis le jour où, à la leçon de catéchisme, la sœur nous avait conté l'histoire de Marie-Madeleine, la pécheresse. C'est en remplissant mon dossier d'entrée au lycée que j'officialisai mon nouveau patronyme. Qui donc aurait vérifié ? Nous vivions alors dans un pays où le changement d'identité était monnaie courante, et, en tout cas, plus facile à réaliser que l'obtention d'un divorce ou l'autorisation d'un visa de sortie du territoire. Que de noms d'abord européanisés, quand la mode était de « franchir la ligne », changer de statut, s'identifier à un champion ou à une vedette ; que de noms plus tard africanisés, « authentifiés », pour, au contraire, prouver son nationalisme !... Mes parents n'en firent même pas cas ; ils préféraient m'appeler par mon

36

influences sur l'artiste

nom traditionnel, Ngambou, c'est-à-dire la seconde des jumelles. Découvrant ma tricherie, ils eurent un sourire de bienveillance. Quelle importance ? Les noms des Blancs...

Marie-Ève est venu bien plus tard. Marie pour revenir à la source de mon être, Ève en souvenir de ma jumelle. La fièvre typhoïde nous l'a arrachée quelques jours après notre arrivée à Brazzaville. Souvent, en peignant, je pense à elle. Beaucoup de mes retouches sont guidées par ce qu'elle me souffle à l'oreille. Elle n'a cessé d'être derrière moi dans ma cachette, observant par-dessus mon épaule si je jouais comme il fallait au jeu du magicien. C'est pour lui rendre hommage, pour m'acquitter de ma dette à son égard, que je dois associer son nom à mon travail. Je sais que les cieux sont là, guettant ma première défaillance.

Mais comment expliquer cela à Solange François ?

En fait, je ne réfléchissais guère en m'attribuant cette nouvelle identité. Je l'ai spontanément proposée à l'officier de justice que j'ai soudoyé avec mes économies, pour obtenir de faux papiers afin de franchir la frontière et disparaître des mémoires.

Pour compliquer l'ensemble et brouiller les pistes, je signe mes toiles du nom de Mapassa, « les jumelles » en lingala. Ce dédoublement est, à sa manière, une certaine fidélité. Déjà, dans ma vie antérieure, je ne signais pas Madeleine, mais M. A., mes anciennes initiales, comme si je me plaisais à multiplier les mystères autour de moi. Pudeur, superstition pour s'approprier des forces étrangères ? Allez donc savoir ? Je n'ai pas l'esprit analyste, je suis femme des sens.

Finalement, Solange n'insiste pas pour Marie-Ève, ou Mariève. Au bout du compte, mon pseudonyme – qu'elle appelle mon nom de guerre – lui convient pour la promotion. Trois syllabes, assure-t-elle, constituent l'idéal pour le bouche à oreille. Mapassa ! Elle trouve même du charme aux assonances provoquées par la répétition des *a*. Elle ajoute que le mystère créé par un nom qui pourrait laisser croire qu'il s'agit d'un Italien, ou d'un Japonais, n'est pas dénué d'avantages.

Elle avait regretté que je ne mentionnasse pas mon prénom, dont la féminité et ce qu'elle appelle « un je ne sais quoi » dans la prononciation diffusent un parfum d'élégante sensualité. Je ne peux reprendre ses phrases sans en sourire. Elle ajoutait qu'un nom ainsi lancé sans accompagnement faisait masculin. A moins, se reprenait-elle, d'expliquer que Mapassa est un prénom exotique. Et elle répétait Mapassa, Mapassa, Mapassa, comme une élégante humant l'échantillon d'un parfum envoûtant.

J'ai dû lui apprendre qu'en Afrique les Bantous ignoraient les prénoms. « Vous êtes antillaise, m'a-t-elle rappelé. – Oui, mais Mapassa provient d'Afrique. – Dans quel dialecte ? » Il y a quelques années, j'aurais réagi. Ce ne sont pas des dialectes mais des langues. J'ai laissé passer. « Dans quel dialecte ? a-t-elle répété, croyant que je ne l'avais pas entendue. – Aucune idée. C'est l'un des rares mots de là-bas que ma grand-mère m'a transmis... Elle-même avait été transplantée d'Afrique. » Et j'ai inventé une histoire, au demeurant plausible, dans la généalogie de n'importe quel Guadeloupéen. Solange m'a brusquement dévisagée en s'efforçant de maîtriser et de dissimuler ce qui se passait en elle et que je ne comprenais pas. Après un moment de silence, je l'ai rassurée d'un sourire et elle a poursuivi en changeant de ton. « Votre mère... – Non, ma grand-mère. – Votre grand-mère a été... (Solange a toussoté pour s'éclaircir la voix) a connu l'esclavage ? – Ma grand-mère a été esclave. » J'ai de nouveau souri. Elle a froncé le sourcil. J'ai un moment joué les érudites en décrivant le trafic clandestin après l'abolition du Code noir. Je me suis même hasardée à citer quelques dates alors que je n'en possède pas la mémoire. Tout cela avec une fausse modestie perverse. Elle ne s'est pas aperçue du bluff et il y a peu de chance qu'elle aille vérifier. « Et votre grand-mère, a-t-elle poursuivi sous l'effet de l'émerveillement, connaissait-elle ses origines africaines ? – Absolument, elle venait du Congo. – Tiens, tiens... – C'est du moins ce qu'elle prétendait... Mais tout cela est bien confus... La tradition orale... Vous savez, ici tous les nègres ne se connaissent que deux origines : le Congo et la Guinée. » J'ai alors songé avec ironie à Mr Jovial.

Solange, habituellement si sûre d'elle, faisait preuve d'une humilité touchante, et j'ai eu le triomphe impitoyable. Je me suis mise à citer une série de noms de lieux et de patronymes kongos que j'avais notés en Guadeloupe. Pour écarter tout soupçon, j'ai ajouté quelques noms d'origine yorouba et fait un commentaire sur le lieu-dit Bambara.

A la fin de l'entretien, Solange m'a fait répéter et épeler mon « nom de guerre », tandis qu'elle le notait. Je crois qu'elle va encore y réfléchir.

Dans quelques jours, au vernissage, ce sera aussi la surprise pour quelques-uns lorsqu'ils rapprocheront la signature des toiles du visage du peintre car c'est surtout Mme Saint-Lazare qu'on connaît dans l'île, Marie-Ève pour les intimes, et, pour le plus grand nombre, simplement « la photographe de la rue Frébault ».

J'avais des réticences à me rendre au forum culturel sur l'Afrique. Plusieurs amis et connaissances nous ayant vanté les communications et les débats de la veille, nous nous sommes finalement décidés à y faire un tour.

Au bout de la rue Sadi-Carnot, deux étages de marches abruptes conduisent au lycée, où ont lieu les rencontres. Rico me dit que lorsqu'il passait dans cette artère, au temps des études primaires, cette perspective était tout un symbole. Il y avait un concours pour l'entrée en sixième et peu de nègres en triomphaient. Ceux qui réussissaient étaient sûrs d'aller un jour en Métropole. Il me cite des noms et nous évoquons le beau film d'Euzhan Palcy sur le sujet, *La Rue Case-Nègres*.

A la fin de l'escalade, on débouche sur une cour en béton qui m'a donné le cafard. Le sol et les murs tachés de noir, couverts par endroits de mousse verte, dégagent des relents d'internat, de prison ou d'hôpital désaffecté. Rico, lui, s'est arrêté pour considérer les deux manguiers à l'entrée de l'établissement.

Contre toute attente, le programme a commencé à l'heure et nous avons raté le début d'une communication sur une romancière haïtienne. Les traits du visage ovale de la conférencière me fascinent. J'ai sorti mon carnet de croquis. On pourrait la dessiner en pensant à certains visages de maternité senoufo. Elle a le port de tête altier des femmes qui marchent une charge posée sur le chef. Par une étrange association d'idées, son visage me rappelle celui d'une beauté à peau huile de palme que j'ai connue jadis. Mais celle-ci est osseuse, l'autre avait des fossettes. Je possédais de nombreux croquis d'elle en vue d'un tableau que je n'ai jamais peint.

J'essaie de capter la lumière et la sensualité discrète de son regard. Surtout quand elle s'exprime en jouant avec ses doigts de pianiste, aux ongles soignés. Je retravaillerai cette esquisse plus tard... Mais l'histoire qu'elle raconte m'oblige à prêter plus d'attention à son propos. Elle parle d'une romancière dont j'ignore le nom. Elle serait la première de son époque à s'être située en dehors des deux grands souffles traditionnels de la littérature haïtienne. Assumant sa vocation et l'inspiration qui la dévorait jusqu'à leurs ultimes conséquences, elle serait allée jusqu'au bout d'elle-même et aurait jeté dans ses pages les flammes de ses sens, jusqu'à l'impudeur. Elle s'est livrée à sa passion, rompant sans concession avec son milieu.

La discussion a débuté par deux questions sans intérêt et un commentaire décousu d'un barbu qui a reproché à l'orateur de n'avoir pas mentionné le rôle du vaudou. L'organisatrice de la soirée, une capresse à la peau sapotille et aux yeux légèrement bridés, a pris un air scandalisé et n'a pas caché son irritation. Je crois que si elle avait pu disposer de gros bras, elle aurait fait vider ce malheureux bouffon à l'allure de clochard.

L'assistance était regroupée par petites tables, sous une tente de cocktail à rayures bleues et blanches et aux bords festonnés.

Près de nous, un homme ne tient plus en place. Je l'avais remarqué en entrant, à cause de son type : peau claire, yeux bleus, cheveux crépus tirant sur le roux, ce qu'on appelle ici un chabin. Après avoir demandé la parole, il est allé s'asseoir à côté de la conférencière, face au public, pour apporter son témoignage. Il a connu la romancière. Il s'est mis à parler d'elle avec fièvre comme s'il s'agissait de la défendre. Il a dit la sensualité et l'impudeur troublante de ses pages. Il parlait d'elle comme un acteur sensible et intelligent récite un poème dont il faut communiquer le frémissement en jouant sur les assonances et les allitérations. Il a dit sa beauté en faisant vibrer sa voix comme pour scander des vers brûlants. Il a dû l'aimer... A moins que ce ne soit moi qui projette mes propres fantasmes dans cette évocation ?

La romancière aurait quitté sa famille, puis Haïti, et serait morte seule à l'étranger.

Le président de séance a proposé une courte pause avant de passer à l'exposé suivant. Je me suis approchée de la conférencière pour en savoir plus. Mais ceux qui l'entouraient ne voulaient pas la lâcher. Le chabin, qui tout à l'heure avait pris la parole, échangeait des adresses avec des professeurs dont je connais le visage.

J'ai voulu m'en aller, passer à la librairie, acheter ou commander les ouvrages de cette Haïtienne, mais Rico tenait à écouter le conférencier suivant. Un historien camerounais annoncé par le président comme l'héritier de Cheikh Anta Diop. Un petit Noir à tête de fouine dont les lunettes, rondes et cerclées d'une fine monture, ont tendance à glisser sur le bout du nez. Pendant qu'on le présentait, il s'évertuait à prendre un air absent. Il a lu un texte préparé avec soin dans une langue de spécialiste, émaillé de considérations polémiques sur le racisme des archéologues, tous, selon lui, individus de mauvaise foi, qui refusent d'admettre l'évidence : que les pharaons étaient sans exception des nègres ! Le petit Camerounais relevait par instants la tête et les deux billes noires dans ses yeux couraient agilement comme ceux d'un animal inquiet. L'exposé était trop long et trop savant. Mon attention s'est relâchée et

Processus de création

j'ai aperçu quelques auditeurs dont la tête et les paupières s'étaient affaissées. J'ai repris mon carnet et me suis mise à travailler dans le détail le croquis du visage de la conférencière précédente.

Audacieux, le professeur camerounais affirmait que les Noirs étaient arrivés en Amérique avant Christophe Colomb. Il a répondu par un développement érudit au premier contradicteur et par une boutade cinglante à une femme qui s'est essayée à tempérer ses conclusions. La salle a pouffé. Les idées du conférencier plaisaient à la majorité.

Quand nous nous sommes levés, la nuit avait recouvert l'établissement. Nous avons un moment traîné sous le préau. Un homme à poitrine d'athlète et cheveux blancs a reconnu Rico. Ils avaient étudié à Montpellier à la même époque. Il nous a présenté son épouse et Rico a fait de même. La conversation était inutile et les deux hommes paraissaient embarrassés de s'être perdus de vue depuis aussi longtemps. Ici, comme en Afrique, vivre seul est une manière de péché.

La masse sombre des bâtiments à deux niveaux m'a rappelé un soir de solitude et de cafard à l'École normale de Mouyondzi. La nuit autour de nous était en ce temps-là profonde et silencieuse comme une île oubliée dans l'océan de la campagne, loin des lumières de Brazzaville. L'horizon était proche et borné. J'avais déjà, je crois, envie de fuir.

Il y avait de la retenue et de la distance dans la brève conversation de Rico avec son ancien condisciple. Nous avons pris congé du couple et nous sommes dirigés vers la sortie, ébauchant de brefs commentaires sur les communications de la soirée. J'ai trébuché contre quelque chose et Rico m'a prise dans ses bras. L'ombre d'une branche de palmier contre le ciel était aussi immobile que sur une photo. Je me suis blottie un peu plus contre lui, ce qui compliquait notre pas.

Au sommet des marches, juste avant la sortie, il y a deux

manguiers. Rico s'est arrêté devant eux. En arrivant, tout à l'heure, j'avais remarqué qu'il avait ralenti le pas à leur hauteur.

– Je croyais vraiment qu'ils étaient plus grands que ça.

Son sourire tenait à la fois de l'amusement et de l'émerveillement. Une voix de basse nous a interpellés dans l'ombre. C'était Raymond, accompagné de Solange. Ils se donnaient la main. Elle était vêtue d'un ensemble blanc qui faisait ressortir sa chevelure de jais. Les deux hommes ont plaisanté en créole et ri bruyamment. Solange se tenait à côté de Raymond comme à l'abri de son arbre protecteur. Nous ne les avions pas vus dans la salle.

Raymond nous a invités à demeurer un peu plus longtemps. Le programme n'était pas terminé. Des musiciens allaient se produire. Un divertissement impromptu pour les intimes. J'ai senti que Rico aurait plaisir à prolonger la soirée ici même et nous avons rebroussé chemin.

Déjà, des familiers finissaient de regrouper les chaises autour d'un piano et de quelques micros disposés là. La conférencière haïtienne était assise à deux chaises de nous. Nous nous sommes souri. Elle a la peau beignet doré. J'ai eu envie de lui poser les questions qui me brûlaient mais me suis retenue. D'autant qu'à cet instant précis, l'organisatrice, la capresse aux yeux légèrement bridés et à la peau sapotille, a prononcé quelques mots simples pour introduire un chanteur haïtien. Je n'ai pas compris son nom qui a aussitôt été recouvert d'applaudissements et de cris d'adhésion. Son visage est mince et bien sculpté. Une tête de beau nègre aux traits réguliers, les lèvres entourées d'une moustache et d'une barbiche fines. Si je l'avais vu auparavant, j'aurais légèrement modifié l'un des personnages de *La Foule*. Il joue quelques notes pour accorder son instrument et fait des essais de voix dans le micro en forme d'un cornet à sorbet. La nuit, bleu-noir et tiède, a un goût délicieux et étend sa paix sur toute l'île et au-delà. Un résidu de

44

nuage neigeux immobile flotte là-haut, comme en panne et oublié.

Le musicien chante d'abord en français. Des airs aux paroles politiques. Chaque phrase s'adresse aux foules libérées et fiévreuses de son pays, correspond aux besoins d'aujourd'hui. Des paroles de vérité échappées d'une bouche dans la foule, qui ébranlent et font danser. Les accords de sa guitare évoquent Brassens. Le public ovationne chaleureusement l'homme à la fin de chaque morceau. Cachée dans le noir, je garde les mains croisés. J'ai toujours été réticente au vocabulaire politique. Un jour, lorsque je servais d'interprète à Yinka, je m'étais amusée à me composer un sottisier des lieux communs des discours des conférenciers.

Que restera-t-il de ces chansons une fois les rêves desséchés ? Quand, en revanche, le chanteur s'est mis à rêver tout haut dans la langue de son village, j'ai applaudi sans retenue. Je devine à peine le créole haïtien, mais l'homme chante des berceuses qui réveillent la nostalgie de l'enfance. Il ferme les yeux comme pour mieux se souvenir des paroles que lui avait apprises sa mère, il y a longtemps, longtemps et qu'elle tenait elle-même de la sienne.

Au-dessus de nos têtes, les feux de position d'un avion qui traverse le ciel clignotent comme des lucioles.

La capresse aux yeux bridés et à la peau sapotille présente ensuite un chanteur congolais. Rico me regarde en haussant légèrement un sourcil, me serre la main, et je me racle la gorge. Après quelques accords, tant pour régler sa guitare que pour se concentrer, le Congolais commence une chanson que je reconnais dès les premières notes. On l'entendait souvent sur les ondes au début des années soixante-dix. Son auteur, Franklin Boukaka, est mort jeune dans des circonstances troubles. C'est une chanson à la gloire de Ben Barka qu'il inclut dans un panthéon de héros et de martyrs du tiers monde. Solange écoute religieusement et bouge ses épaules au rythme de la danse qu'elle perçoit. Moi seule comprends les paroles.

A son maintien, ses sourires de séducteur en direction du public, on sent que le guitariste a l'habitude des spectacles. Il a poursuivi par une mélodie qu'il venait juste de composer en hommage à la Guadeloupe. C'était faible et sans inspiration. Suivant un procédé maintes fois utilisé par les musiciens africains, il a énuméré les communes de l'île de l'archipel. Le public l'a applaudi chaleureusement.

Plus je regardais l'ombre chinoise du chanteur dans la nuit, plus son profil me rappelait le pays.

Dès les premières notes de *Félicité,* les bougies de mon enfance se sont rallumées. Ce succès des années cinquante n'a pas vieilli. Avant mon départ, il était devenu l'indicatif des ouvertures des bals de mariage. Le chanteur poursuit son récital par un pot-pourri de compositions des deux rives, et le public l'accompagne en frappant dans ses mains. Il chante sa mélodie en regardant dans notre direction. Je me suis penchée vers Rico pour lui murmurer la traduction :

Comme j'ai pleuré, comme j'ai pleuré, ha !
Je suis allé au travail alors que je savais ma mère malade
De retour à la maison il y avait une lettre sur ma table
J'ai lu la lettre : maman venait de mourir au village
J'ai fait mes bagages et acheté mon billet
Quand j'ai pris mon train maman était déjà dans son cercueil
Quand je suis descendu du train maman était enterrée
Je n'avais plus qu'à pleurer seul avec moi-même.

J'ai aperçu Solange, l'Haïtienne et mes voisins, tous sensibles à l'émotion dans la voix du chanteur et à la musique étrange des mots kongos, applaudir comme s'ils avaient compris chaque phrase et chaque nuance. Le chagrin de l'auteur de la chanson s'est infiltré en moi et ne me quitte plus.

Dès les premières notes du morceau suivant, je reconnais les accords d'*Atandélé,* qu'on pourrait traduire par *Quoi qu'il arrive.* J'ai lâché la main de Rico et je me suis levée. Faisant fi des convenances, je me suis emparée du micro que Raymond avait abandonné sur la chaise et me suis plantée à coté du guitariste qui n'a pas paru surpris. Il me laisse pousser la chansonnette, se contentant de m'accompagner de son instrument et de hochements de tête rythmés.

Quoi qu'il arrive !...
Ceux qui sont morts pour l'Afrique continuent à chanter
Quoi qu'il arrive !...

Le musicien arbore un sourire de satisfaction, comme s'il m'avait attendue. Il gratte sa guitare, la serre contre lui, comme un bébé qu'il bercerait et caresserait. Le rythme est lent, lent, très lent. Le rythme des tristesses délicieuses.

Adou Elenga savait que le monde changerait
Les ancêtres savaient que le monde basculerait
Dieu savait que, quoi qu'il arrive, les Noirs se donneraient la main...

Le chanteur répète avec moi le refrain en fermant les yeux. Moi, je fixe la branche de palmier que berce l'alizé.

Quoi qu'il arrive !...
Le dernier jour la pluie tambourinera
Le dernier jour le tonnerre tombera
Ceux qui sont morts de la volonté de Dieu
Se lèveront
Ceux que le Diable a tué
Se lèveront
...
Atandélé...

Moi aussi, je fais tanguer mon buste au rythme de la branche de palmier.

47

destruction du stock (censure)

> *De la nuit des temps*
> *Tous les esprits surgiront*
> *Si nous vendons l'Afrique à l'étranger,*
> *Nous passerons en jugement,*
> *Atandélé, quoi qu'il arrive...*

J'ai fermé les yeux pour oublier la foule et chanter vrai.

A la fin, le chanteur m'a prise par la taille et m'a serrée contre lui pour saluer et répondre de conserve aux acclamations. Nous nous sommes embrassés comme de vieux complices qui venions de jouer un tour à la compagnie. J'ai reposé le micro baladeur sur la chaise vide devant moi et je me suis assise toute tremblotante de peur, ou d'émotion, allez donc savoir.

Dès que Rico m'a lâchée, l'Haïtienne à la peau beignet doré m'a félicitée et m'a demandé si j'étais africaine.

– Non, ai-je répondu la gorge serrée, mais j'y ai long-temps vécu.

Peu après, une averse a soudain semé la panique dans notre fête et nous avons couru nous mettre à l'abri sous la tente aux bords à festons. Pour échapper aux compliments, j'ai engagé la conversation avec l'Haïtienne. Je désirais en savoir plus sur la romancière qu'elle avait présentée. Elle m'a donné le nom des titres de ses romans mais a ajouté que j'aurais du mal à me les procurer. La famille avait racheté et détruit tout le stock, à sa mort.

Comme toujours, ici en cette saison, la pluie a vite cessé. Ce n'était qu'un grain de faible durée. L'odeur de la terre mouillée embaume maintenant l'air. Je cherche Rico des yeux.

Les deux musiciens de la soirée se replacent ensemble devant les micros fixes, jouant un air bien rythmé, dont il est impossible de préciser s'il vient d'Afrique ou des Caraïbes. L'Haïtien entonne un couplet en créole, et le Congolais le relaie en lingala. D'une strophe à l'autre, le rythme s'accélère, comme si chacun participait à un

48

musique: lieu de rencontre entre les différentes expressions culturelles de la diaspora noire.

SUR L'AUTRE RIVE

concours de vitesse, et les guitaristes bougent leurs épaules au rythme de la musique. On dirait que chacun interpelle l'autre dans sa langue et ils se comprennent sans recourir à un interprète. Ils poursuivent un dialogue où ils donnent à tour de rôle des nouvelles de la famille, vantent les succès obtenus par chaque village, expliquant chacun à son tour comment se danse, se chante telle étape de la vie ou comment se cuisinent le poisson d'eau douce et la viande de chasse. Le public frappe des mains comme pour les exciter, les pousser à se dépasser jusqu'à ce que jouissance ou mort s'ensuive. Concours de vitesse d'abord. Le Congolais a senti qu'il allait s'essouffler et il a calmé le jeu. Délicieux changement de rythme ! Grâce à lui, le plaisir va se prolonger.

– Ah ! mama hé ! lâche l'Africain en fermant les yeux.

Il passe au kikongo que je ne comprends pas.

Les deux musiciens ont modifié les règles du jeu. Prenant la parole successivement d'une phrase à l'autre. Puis les deux en même temps l'un un lingala, l'autre en créole, sur un air conçu pour les deux langues. Un rasta se joint à eux et joue de son tam-tam obèse. Quand, à bout d'inspiration et de souffle, les deux guitaristes, au paroxysme d'un roulement de gros ka endiablé, s'arrêtent, l'assistance se lève et applaudit, les mains en avant ou au-dessus des têtes, ivre de sons et de rythmes.

La capresse aux yeux bridés et à la peau sapotille nous a entraînés sous une autre tente où l'on nous offre du boudin pimenté et des pâtés antillais, arrosés de punch et de planteur. J'ai soudain aperçu le couple rencontré sur la Darse qui cherchait à m'aborder ces jours-ci, et j'ai eu peur. Ils ont été, Dieu merci !, interceptés par le musicien congolais. Pendant qu'ils s'étreignaient, j'ai pris Rico par la main et, fuyant la réception, nous nous sommes enfoncés dans la nuit.

Je suis arrivée en avance au rendez-vous. Solange François ne viendra pas avant une demi-heure. Je voulais avoir le temps de déguster un café mais surtout de relire les articles sur le vernissage. Le cocktail a été une réussite. Une atmosphère mondaine où les amuse-gueules (Solange disait « amuse-bouches »), les petits fours et le champagne grisaient les esprits. Moi-même, je me suis laissé emporter par l'allégresse générale et j'ai perdu, un instant, ma lucidité.

 De tous les commentaires de presse, celui de *France-Antilles* est le plus long. Le reste est dans l'ensemble bien décevant. Après avoir décrit la cérémonie, ils parlent de moi en termes snobs, évoquent les tableaux en deux ou trois phrases stéréotypées pour leur valeur régionale selon les uns, nationaliste selon les autres, mais pas un mot sur mon style, mon travail et mon art. Il faudra quand même envoyer une carte de remerciements à chacun de leurs auteurs. Raymond espère, lui, que la presse militante aura un jugement plus critique. J'ai vu au vernissage un de leurs éditorialistes avec lequel j'ai échangé deux ou trois gentillesses, somme toute assez insignifiantes.

Après le vernissage, Rico voulait que nous restions ensemble. Il a invité Raymond et Solange dans un restaurant des hauteurs. Une vieille maison coloniale tenue par un Béké où l'on déguste une cuisine pimentée à s'en lécher les doigts. Raymond qui ne voulait pas demeurer en reste nous a ensuite proposé de faire un tour au *Kalao*.

Cela fait longtemps que Rico et moi n'avons pas mis les pieds dans une boîte de nuit. Une chose est d'être nègre et d'adorer la danse, une autre de s'en abrutir en s'enfermant des nuits entières dans un ajoupa exotique.

Nos deux amis étaient si envoûtés par l'orchestre que nous serions restés au *Kalao* jusqu'au matin. Nous les avons déposés très tard à l'hôtel de Solange. Pendant que je convenais d'un rendez-vous avec elle pour le lendemain, Rico a taquiné Raymond en créole, lequel a rétorqué en employant une tournure dont je n'ai pas compris le sens. Les deux hommes ont éclaté de rire en se tapant dans la main. J'en étais gênée pour Solange.

La nuit était tiède et nous roulions seuls sur la route de Saint-François. J'ai caressé la cuisse de Rico. Protecteur et amoureux, il a couvert ma main de la sienne. La voiture s'enfonçait dans le noir devant nous et les phares levaient de temps à autre un oiseau qui disparaissait dans les herbes sur le côté. Nous sommes demeurés un moment silencieux et Rico m'a interrogée sur Solange. Je lui ai résumé notre conversation. Son projet d'organiser une exposition à la galerie Antonioni, ou Visconti, ses suggestions sur mon nom de guerre. Elle me semble sincère. Lui aussi pense qu'elle est une vraie professionnelle et une femme de parole.

– Il ne faut pas laisser passer l'occasion, a-t-il murmuré, songeur.

J'ai souri d'un air sceptique. Lui conduisait, le regard toujours fixé sur la route. J'ai senti son odeur et j'ai eu envie de lui.

– C'est une erreur, a-t-il dit, de s'imaginer qu'une belle toile finit toujours par faire son chemin.

J'ai pensé à Van Gogh et j'ai voulu contrer Rico mais me suis retenue. Rico, comme toujours maître de lui, s'exprimait d'une voix calme. Là réside sa puissance, la force du lien qui m'a attachée à lui.

– Il y a trois villes au monde qui imposent la mode et le goût. Paris est l'une d'elles.

Un sentiment d'angoisse m'a brusquement saisie, mais je n'en ai rien dit. Rico m'a regardée et a de nouveau serré ma main dans la sienne. La nuit était douce et j'étais épuisée. J'ai failli m'assoupir mais il fallait soutenir la conversation pour aider Rico à ne pas s'endormir au volant. La route de Saint-François a mauvaise réputation : les automobilistes y conduisent comme s'ils participaient à un rodéo. Nous avons, une fois encore, évoqué des pans de notre journée, commenté l'exposition et bavardé sur nos amis. Rico s'est permis une allusion grivoise. J'en ai profité pour lui reprocher de s'être exprimé en créole tout à l'heure en présence de Solange. On aurait pu croire qu'il se moquait d'elle. Il en a convenu, a éclaté de rire, a minimisé l'incident et m'a assuré qu'ils n'avaient rien dit de désobligeant, avant de m'expliquer la raison de leur éclat de rire bruyant : Raymond avait employé un proverbe que Rico n'avait pas entendu depuis des années et qui lui rappelait le créole de sa marraine, une vieille femme qui lui avait appris la Guadeloupe du siècle précédent.

Après Sainte-Anne, peu avant Le Poirier, nous avons croisé un camion qui nous a éblouis. La brute se moquait des appels de phare de Rico et roulait à un train d'enfer.

– Les gens qui distribuent la mort sur les routes, a marmonné Rico.

J'ai dû m'endormir quelques kilomètres avant d'arriver chez nous.

Une quinte de toux absurde me secoue. J'ai avalé mon café de travers. Là-bas dans le fond de la salle, j'aperçois le couple rencontré il y a quelques jours sur les quais de la Darse. La femme me salue d'un sourire engageant. On dirait vraiment que ces gens me filent. Je fais semblant de ne pas les voir et me dissimule derrière le journal que je déploie de toute sa largeur. Si je n'avais pas ce rendez-vous avec Solange, je me lèverais, déposerais l'argent sur la table, et disparaîtrais sans attendre la monnaie.

– Pardonnez mon indiscrétion, mais...

La dame s'est déjà installée en face de moi, souriante et sûre d'elle.

– Vous êtes africaine ?

Mon regard ulcéré la fait balbutier un moment.

– Vous permettez ?

Je n'ai pas trouvé la force de la remettre à sa place. Elle prend une chaise et s'assied en face de moi. Les fossettes qui creusent une virgule dans ses joues me révèlent son identité et mon cœur se met à battre comme il a battu lorsque, il y a quelques jours, j'ai reconnu ce détail en regardant les photos développées par la temporaire.

– Excusez mon audace, madame (elle a l'accent gabonais), mais j'ai fait un pari avec mon mari. Vous êtes bien africaine, n'est-ce pas ?`

– Presque tous les Guadeloupéens viennent d'Afrique, madame.

Malgré l'heure, il fait déjà très chaud. Une chaleur moite, amollissante. Je me tamponne le front.

– Vous êtes guadeloupéenne ? s'étonne-t-elle. Pourtant...

Quel toupet !

– Excusez-moi, je vous avais prise pour une Congolaise.

– Plaît-il ?

Elle esquisse un sourire malheureux, se trouble et confesse d'une voix maladroite :

– J'avais... j'avais même parié avec mon...

Et toujours ces fossettes qui me provoquent.

– C'est une méprise, madame.

53

– Oui, je crois... D'ailleurs ce ne serait pas possible. Madeleine est morte.

Une nouvelle bouffée de chaleur m'incommode. Solange arrive à ce moment-là et la dame, inquiète, se lève.

– Ce n'est pas moi qui vous chasse, j'espère, lui dit Solange d'une voix enjouée.

Deux jours ont passé et Solange va nous quitter. Elle tient à emporter un jeu de photos de mes meilleurs tableaux pour mieux convaincre son patron. Je suis arrivée à temps à l'aéroport pour les lui remettre. Elle les a saisies en poussant un cri de joie et de satisfaction mêlées et les a serrées contre sa poitrine. Elle est sûre de son coup : une exposition sur la Rive gauche, avec la presse spécialisée et un public de première classe pour le vernissage.

Raymond était venu l'accompagner. Elle avait déjà effectué les formalités d'enregistrement et je les ai retrouvés au bar de l'étage. Ils m'ont invitée à m'asseoir et à prendre un verre avec eux. Je ne voulais pas les gêner et j'ai prétexté un rendez-vous. Ils n'ont pas insisté. Solange s'est encore crue obligée de faire l'éloge de ma peinture. J'ai bafouillé une réponse maladroite. Elle va, comme elle dit, « se battre » pour obtenir un vernissage avant le mois de juin. En parlant, elle agitait énergiquement son petit poing et m'adressait un sourire entendu. Après juin, a-t-elle précisé, ce sera les vacances et elle a fait la grimace. Elle m'a répété ce qu'elle m'avait déjà développé à plusieurs reprises sur mon nom de guerre, et moi j'ai fait comme si je l'entendais pour la première fois.

En fait, je n'avais pas *prétexté* de rendez-vous. J'en avais vraiment un. Mais tout cela est si compliqué que je me perds moi-même à distinguer entre le vrai et le faux, entre

55

le mythe et la réalité, entre le mélange des deux. Ce ne sont pas mes tableaux qui ressemblent à ma vie, mais le contraire.

Hier, la journée a été agitée. J'ai eu tant à courir et à faire en compagnie de Solange que s'est dissipée la contrariété provoquée par l'Africaine, il y a deux jours, au salon de thé. La nuit qui suivit cet incident a été agitée. Des rêves hachés, difficiles à reconstituer. Un peu comme quand la fièvre vous fait délirer. Pourtant, Rico avait été merveilleux. Je m'étais endormie épuisée dans ses bras et je n'aurais pas dû me réveiller avant le matin. En faisant un effort pour me souvenir, je crois avoir rêvé de l'Africaine.

Ce matin, la terre était mouillée et l'air parfumé d'essences qui donnaient la chair de poule et faisaient frissonner.

Le soleil luisait déjà, promettant un temps splendide et de hautes températures.

Arrivée dans la boutique avant Mr Jovial, je me suis enfermée dans le labo pour regarder de nouveau les épreuves développées pour le couple africain. J'ai relu les nom et adresse :

Dr Benoît Mbitam-Mann,
Le Hammack
Tél. 88 51 00, chambre 312.

Les premiers clichés le montrent avec des enfants métis. Le garçon a la peau thé léger, des cheveux bouclés en tire-bouchon et un visage d'éphèbe. L'une des filles a le type *zindien* avec la peau noire et mate. Un genre tamoul aux longs cheveux de satin, légèrement ondulés, qui tombent jusqu'aux reins. L'autre est une négresse à peau pain de seigle. Tous pourraient passer pour des jeunes de cette île. La femme noire n'apparaît sur aucune de ces épreuves. Sur un autre cliché, les enfants entourent une femme blonde à l'attitude un peu raide. Son regard est songeur, légèrement triste. La photo n'a pas été prise dans nos climats. La chaussée est pavée et, en arrière-plan, on aperçoit des pavillons à deux ou trois niveaux, en briques rouges, ornés de fenêtres à l'anglaise. Sur l'un d'entre eux, une enseigne avec trois mots d'une langue inconnue. Le *O* barré d'un trait en diagonale, plusieurs trémas sur d'autres lettres et le style des habitations laissent à penser que la série a dû être prise dans un pays scandinave.

C'est dans le deuxième rouleau que je trouve ce que je cherchais.

Élancée, le muscle fin et long, une peau teint huile de palme, la femme noire pose revêtue des toilettes de grands couturiers. Les premières photos ont été prises en France, et certaines dans un aéroport. Peut-être Charles-de-Gaulle. Sur un gros plan où elle pose de biais, elle adresse un sourire de commande au photographe, et une virgule creuse sa joue.

Le téléphone a sonné. C'est Rico. Dans sa voix toujours calme, je perçois un ton de satisfaction. Il a retiré les billets pour les îles *anglaises*. Nous passerons auparavant une semaine à Orlando. A ma grande surprise, je sens mon cœur bondir d'allégresse. Nous bavardons quelques instants et l'idée de ce départ me grise un instant.

Mais à peine le combiné raccroché, une peur imbécile m'envahit. Le voyage en avion ? Plutôt la formule employée par Rico : « notre véritable voyage de noces ». Anicet avait utilisé la même avant le départ pour Libreville.

La peau huile de palme et surtout la fossette creusant la joue ont tout fait resurgir.

La femme rencontrée sur la Darse doit être Clarisse Obiang.

Elle nous avait reçus chez eux, à Libreville. Ce séjour a été d'une telle importance dans mon évolution que je croyais n'en jamais oublier l'année exacte. Pourtant, aujourd'hui cette époque se nimbe de brouillard et j'ai du mal à y trouver des points de repère. Sans doute la fin des années soixante-dix... La ville venait tout juste de se transformer. Donc après l'OUA. Il suffirait de rechercher dans un ouvrage spécialisé.

Ce fut un temps prospère. J'y achevai trois de mes toiles de la première manière, toutes brûlées la veille de ma traversée du fleuve. Je les avais tant peaufinées que, malgré les années, j'ai pu en repeindre quelques-unes ici. Seuls leurs titres ont changé pour dérouter ceux qui voudraient retrouver ma piste. Quand quelqu'un souligne la ressemblance du paysage ou des personnages avec ceux d'Afrique, j'explique que c'est intentionnel, qu'il s'agit de mon désir de jeter un pont entre deux mondes qui se sont oubliés. Et d'ajouter que je ne connais l'Afrique que par mes lectures et par ouï-dire. L'imagination et la mémoire collective auraient accompli le reste.

Nous n'avons passé que trois semaines à Libreville et j'y

ai peint autant qu'en plusieurs mois. Je sautais des déjeuners et des dîners. Même aux heures de grosse chaleur, j'avais grand-peine à me relâcher pour m'accorder une sieste. J'avais beau m'allonger, le sommeil ne venait pas. Mais je devais tempérer ma passion car mes absences à table, venant après quelques accrochages véniels, étaient interprétées par Anicet comme autant d'attitudes hostiles et d'indices de trahison.

D'autant que, malgré sa bonne volonté, nos rapports ne s'amélioraient pas.

Anicet avait pourtant beaucoup espéré de ces vacances. Il attendait un miracle du soleil, de la mer, du sel, de l'iode, des alizés. La détente et le repos devaient lui permettre de se reconstituer une nouvelle santé. N'était-il pas, du temps de ses études en France, un fameux gaillard ? Cette précipitation, qui le dépassait, qu'il ne pouvait maîtriser et dont nous souffrions l'un et l'autre provenait, selon les médecins, d'un excès de travail. Il fallait retrouver l'état primitif. Ils prétendaient que toutes les femmes des villages ruisselaient de bonheur et que la frigidité était un mal importé par l'Occident.

A l'expérience, l'air marin se révélait plus lent à produire ses effets qu'Anicet l'avait escompté. A chaque tentative, dès les premières malices, alors que nous croyions avoir trouvé ensemble un pas harmonieux, et que nous nous apprêtions à entamer les tourbillons de la valse, il perdait la tête et me prenait de court. Nous n'allâmes pas jusqu'à faire lit à part. Sinon, j'eusse été contrainte de comparaître devant le conseil coutumier de nos deux familles et d'en accepter la condamnation à mes dépens. Nous couchions dans les mêmes draps, séparés par une zone tampon que mon époux ne franchissait qu'au prix d'une stratégie digne d'un grand maître. Je le tenais éloigné de moi plusieurs semaines entières, invoquant des indispositions que je faisais durer plus longues que les vraies. Moi qui avais le mensonge en horreur, je me trouvais contrainte de simuler, de jouer mon rôle avec une logique qui exigeait une vigilance de tous les instants. Je devins taciturne, craignant de laisser passer d'irréparables lapsus.

Je prolongeais mes lectures au lit très tard dans la nuit, escomptant qu'Anicet serait le premier happé par le sommeil. Il arrivait toutefois qu'il résistât ou qu'il reprît conscience après un instant d'assoupissement.

Pourtant, aucune brutalité, aucune rudesse chez lui. Sa main glissait doucement sur moi, m'effleurant à peine, comme celle d'un amoureux des formes qui cherche à mémoriser les courbes et la douceur d'une sculpture. Au début, je réussissais à maîtriser l'émotion qui montait en moi et poursuivais ma lecture. Mais quand la bouche de l'homme se mettait à brouter mon mollet, le rythme de mon souffle se détraquait. J'avais beau tenter de me raccrocher à de vagues préceptes sur la puissance de la volonté, me répéter que l'embrasement des sens avait sa source dans un charbon qui gîtait quelque part dans les plis du cerveau, recourir à des méthodes de maîtrise de soi, chaque fois, au fur et à mesure que la bouche de l'homme gagnait du terrain, tout devenait de plus en plus trouble en moi et, sans scrupules, Anicet franchissait les frontières.

De deux doigts délicats, sans heurt, il dénouait mon pagne. Dans une danse lente et enveloppante, il conquérait des terres, poussait des lèvres audacieuses à la lisière des zones réservées. Il me faisait frissonner et jetait l'émoi dans ma poitrine. Je le priais d'arrêter craignant que, de nouveau, l'échelle ne s'écroule, mais le fruit épluché était trop proche de ma bouche, et je me surprenais à me passer la langue sur la lèvre. Je manquais de volonté pour arrêter la boule laineuse qui s'entêtait au-dessous de mon ventre. Les mouvements de sa langue me terrassaient.

Je ne pouvais plus, mère Marie, me retenir et il entendait s'échapper ma plainte. Ma main finissait par caresser sa nuque et je relevais son visage à hauteur du mien. Nous nous déplacions, nous nous retournions, et j'appréciais les muscles longs et racés de son corps.

Lubrifié par l'onguent des deux chairs en fusion, tout avançait sans secousse, et une senteur de sous-bois, une odeur acre et bonne de lendemain de pluie, s'échappait des deux peaux. Des litanies insensées montaient de mon ventre à ma poitrine puis de ma gorge à ma bouche et les flammes de la mer se mettaient à s'épicer d'un goût de sel et de goémon. Tout était paré pour le voyage et j'appelais les vagues, l'océan, la tempête, le ciel. Quelle cœur de femme, quelle chair de sainte peut encore retenir le cri d'étonnement quand du ventre explose la symphonie des grands espaces ?

C'est alors que seul, ne se retenant plus, l'homme s'en allait, glissait, et s'écroulait en criant, dans sa détresse, le nom de la femme. Le temps qu'elle lui tendît la main, il était déjà trop tard. La baudruche avait éclaté et gisait aplatie, étendue comme un drap sur son corps.

Anicet me pesait comme un rocher et je le repoussais d'un mouvement brusque, de peur de m'écorcher la peau et, lui tournant le dos, je me recroquevillais en chien de fusil. Un volcan grondait dans mon ventre et je voulais le silence, avais besoin de solitude et de temps pour rentrer l'envie de détruire qui montait en moi. Je mordais le drap à l'en déchirer. Seules les larmes auraient pu me soulager mais la fierté me retenait.

Il eût été facile de l'humilier d'une phrase, d'un simple râle de dégoût. Mille idées folles me traversaient l'esprit. Timide et pitoyable, l'homme balbutiait des mots d'excuse et je me bouchais les oreilles.

Anicet tentait alors de s'expliquer, de s'excuser pour, chaque fois, finalement se condamner. Sourde à ses protestations de bonne volonté, je me murais dans un silence intraitable. Touchantes étaient pourtant ses paroles. Un malheureux ruiné dont le regard apitoyait. C'eût été comme de refuser la charité à un aveugle sur le parvis de l'église. Je pardonnais. Quelques tapes maternelles sur le coussin de ses cheveux, sur ses épaules, étaient bien assez pour l'absoudre et adoucir son chagrin. Rassuré, il s'endormait.

Je ne pouvais souffrir plus longtemps la poisse gluante du lait qui avait giclé sur ma peau et s'égouttait de mon corps. J'attendais que le tremblement s'apaisât, me levais et m'enfermais dans la salle de bains. Sous la douche froide, je m'astiquais à m'en arracher la peau, réfléchissant un instant à la vie, au soleil et à la force de ceux qui saccagent les jardins.

Je gagnais ma cachette et m'installais devant ma toile.

Situé à moins d'une heure de Libreville, le cap Estérias doit sans doute son nom à des voyageurs espagnols, dont j'ignore tout, jusques et y compris le siècle où ils y accostèrent. Je n'ai pas pu le vérifier et les Obiang, dont c'était la dernière des préoccupations, furent incapables de fournir le moindre élément de réponse à ma curiosité.

Obiang s'y était fait construire une cabane, qu'il se réjouissait de nous faire découvrir. Il y organisa un weekend. La sortie enchantait Anicet. Moi, j'étais contrariée. Je m'étais au fil des jours créé des habitudes en m'aménageant un atelier de fortune – ma cachette – dans une pièce de la villa où nous logions. Un lieu ensoleillé le matin, agréable et frais l'après-midi. Des branches aux feuilles laquées ornaient le bord de la fenêtre.

Chaque matin, j'y poursuivais l'exploration d'une obsession dont j'étais la proie depuis Brazzaville. Un plan moyen sur trois visages de femmes. Trois ndoumbas, un après-midi de grosse chaleur, s'entretiennent à l'ombre, dans une arrière-cour. Comme pour provoquer le public, je leur avais composé des visages d'intellectuelles au regard ironique et malicieux. Quand je me reculais pour prendre du champ et souffler un instant, j'étais assaillie de doutes. Ne convenait-il pas plutôt de revenir sur ce détail ? Car les ndoumbas n'ont pas cette distinction !... Du moins en général. Si vous vous adressez à l'une de ces dames ou à l'un de ces

messieurs de la classe des fonctionnaires de chez nous, sans
hésiter, ils vous traduiront ndoumba par « prostituée » ou,
ce qui est à peine mieux, par « poule de luxe ». C'est de la
malveillance. Les ndoumbas sont en fait de grandes dames,
soucieuses de leur liberté et qui considèrent le mariage
comme le cimetière des amours. Généralement superbes, la
tête alerte, le maintien imposant, elles gèrent leurs charmes
et leur beauté avec talent et un souci de tenir les rênes de
leur destin. Putains, non ! Même si elles veillent à se choisir
des amants capables de les aider à vivre dans le confort.
Nulle parmi elles n'est esclave de l'argent. Elles ne se
donnent jamais au plus offrant, mais choisissent leurs cavaliers (elles en ont souvent plusieurs, au même titre que ces
hommes de chez nous qui possèdent à la fois plusieurs
« deuxièmes bureaux »), le congédient quand l'envie leur en
prend, car c'est en y mettant tout son cœur que chacune
tient à faire l'amour avec *ses* hommes. Beaucoup d'entre
elles symbolisent notre belle époque, celle où elles lançaient
telle mode de ceindre son pagne ou de nouer son foulard,
celle où l'on dansait sans souci durant les trois nuits de
chaque week-end de l'année, dans les bars des deux rives du
Congo. Elles en étaient les reines. Nos Madame de Mainte-
non, peut-être... De grandes dames ! D'ailleurs, un chanteur
zaïrois fit à l'époque une chanson pour les célébrer. La censure l'interdit. Mais je m'égare.

Parmi les trois ndoumbas de mon tableau, le personnage
central était à l'origine de mes tracas. Ce fut plus tard que je
pris conscience de sa ressemblance avec Clarisse. L'emprunt s'était fait inconsciemment. Je m'en amusai et lui
ajoutai les fossettes de la Gabonaise.

Bien que la sortie au cap Estérias fût prévue, l'arrivée des
Obiang me contraria. Ils firent irruption dans la villa avec
des éclats de joyeux drilles. Obiang imitait les coups de
gueule d'un adjudant surgissant dans une chambrée à
l'heure du réveil, et Anicet, plein de verve, lui donnait la
réplique avec à-propos.

Je les aurais broyés.

Moi qui me serais passée de déjeuner pour aller au bout de ma fièvre ! Le couple Obiang étrennait ce jour-là des tenues d'estivants occidentaux.

Anicet et Obiang continuaient à s'interpeller haut et fort comme des lutteurs qui se défient avant le combat, un jour de fête au village. Après avoir pris le temps de rincer et ranger mes pinceaux, j'ai dû abandonner ma toile, me montrer et faire bonne mine.

Vêtu d'un tee-shirt frappé d'un crocodile, et chaussé de tennis neuves à bandes diagonales, Obiang aurait pu passer pour un touriste américain. Il en avait la casquette de baseball.

Nous nous hissâmes dans un véhicule tout terrain neuf, aux sièges de cuir blanc et au tableau de bord d'avion. La climatisation me fit frissonner. Une chaîne haute-fidélité jouait de la musique zaïroise et congolaise, que nous appelions musique zaïcos, pour abréger. Obiang voulait ainsi montrer qu'il était à la mode et en avait les moyens.

Nous rejoignîmes les boulevards de bord de mer un peu avant l'aquarium. La hi-fi rendait à merveille la voix grave de Franco. Il chantait *Na yébi yo* dont, en réfléchissant un peu, je pourrais retrouver avec précision la date de création. Tous les bars de Brazza rabâchaient cet air l'année du passage de Yinka. Obiang a accéléré, mettant un point d'honneur à dépasser tous les véhicules qui se profilaient à l'horizon.

Au cap Estérias, Obiang nous présenta sa « baraque », comme il répétait, avec la fausse modestie du cabotin de cabaret. Il en vanta les qualités et le charme, tantôt dans un vocabulaire de vendeur, tantôt avec des accents de créateur fier de son œuvre, agrémentant son propos de ronds de jambe désuets. Un bungalow de bois vernis, légèrement surélevé, sur pilotis, à trois chambres, une salle de séjour, et

SUR L'AUTRE RIVE

une véranda qui courait autour de l'ensemble. Clignant un œil de négociant madré, il fit remarquer à ses hôtes la plaque sur le fronton : *Colombey-les-Deux-Églises*. Tandis que Clarisse m'indiquait notre chambre, Obiang expliquait à Anicet pourquoi et comment il s'était offert ce caprice. Une bagatelle dont il soulignait la simplicité, reliant tout cela à ses origines et à son souci de demeurer près du peuple. Il a un moment baissé la voix pour faire une confidence à Anicet, et les deux hommes sont partis d'un éclat de rire bruyant en se frappant dans la main et en se renversant en arrière.

J'aurais aimé jouir d'une telle retraite aux environs de Brazzaville. Une véritable cachette où j'aurais installé mon atelier et où j'aurais pu me sauver dès que mon démon protecteur me chuchoterait à l'oreille de m'enfuir pour aller jouer les jeux des couleurs, des formes, des lignes et de la vie. Je l'imaginais à Kintélé. Là où le fleuve s'élargit et le regard porte au loin invitant au rêve et à l'évasion.

Amphitryon en verve, Obiang faisait valoir son sens patriotique : au ciment n'avait-il pas préféré un matériau local ? Et les deux hommes de disserter sur la beauté du bois, la richesse de nos forêts ; de condamner dans un commun arrêt les Africains corrompus et les néo-colonialistes dont ils étaient les suppôts. En les entendant, Clarisse me toucha discrètement du coude et secoua la tête d'un air affligé. Obiang faisait admirer la qualité du confort. Rien ne manquait. Eau courante, électricité alimentée par un groupe électrogène. Seule faisait encore défaut la climatisation, mais elle avait été prévue et serait prochainement installée. Cela fut l'occasion de pester contre les entreprises commerciales de la place.

A peine installés, Clarisse me proposa d'aller prendre un bain. Quelques pas le long d'un sentier où nos talons soulevaient des poignées de sable, et l'on débouchait au-dessus d'une crique encadrée par des monceaux de rochers

66

chocolat. La plage était ombragée d'arbres à pain, de bada-
miers, et de cocotiers penchés dans le sens du vent. La mer
topaze et lisse, où mille fragments de miroirs jouaient avec
le soleil, venait lécher un sable caramel. Les hommes
s'étaient mis en maillot mais ne se baignèrent pas, préférant
taper dans un ballon. Au moment de pénétrer dans l'eau,
Clarisse s'aperçut qu'elle avait oublié son bonnet de bain.
Elle qui venait justement de se faire défriser chez la coif-
feuse, la veille !... Obiang a lancé des sarcasmes à sa femme
et, après un échange de reparties rapides et savoureuses
avec son époux, Clarisse a pénétré dans la mer. Elle nageait
comme les chiens, juste la tête au-dessus de l'eau. Je n'avais
pas ses soucis. A l'époque, j'étais coiffée ras, à la garçonne.
J'ai plongé et me suis éloignée du rivage en nageant le
crawl. C'est lors de mon séjour à Cornell que j'avais perfec-
tionné ce style. Chaque jour, je passais près d'une heure
dans la piscine du campus. Quand j'ai fait une pause pour
reprendre du souffle, la terre était loin, et j'ai été un instant
saisie d'une peur absurde.

Après m'être reposée en m'accrochant à une bouée, j'ai
regagné le rivage en alternant le crawl et la brasse coulée.

Les deux hommes dribblaient, tapaient dans le ballon,
prenant à tour de rôle, en s'installant entre deux petits
tas de vêtements, le poste de gardien de but. Ils poussaient
des hurlements et s'interpellaient en se gratifiant de noms
de champions brésiliens. Sentant les regards des épouses sur
lui, Anicet se mit à jongler du pied et des cuisses. Obiang l'a
applaudi et ils sont partis dans une discussion sur leurs
exploits de jeunesse.

Je fus la dernière à sortir de l'eau.

Après m'avoir complimentée sur ma manière de nager,
Clarisse m'a mise en garde contre la mer. J'ai répondu en
plaisantant que nous sortions tous, à l'origine, de l'océan et
qu'un pressentiment me disait que c'est en y retournant que
je disparaîtrais. Elle m'a priée de ne pas dire de telles choses,
qui pouvaient appeler le mauvais sort, et elle s'est signée.

– Vous êtes une bonne nageuse, a-t-elle poursuivi toujours sérieuse, mais ici, la mer est traîtresse.

Et elle me relata des cas de noyades étranges qui tenaient même du surnaturel. Elle ne vit pas mon sourire. Elle a poursuivi en contant des histoires de Mami Wata, qui est le nom populaire du lamantin, la sirène d'Afrique. Elle a terminé en répétant qu'il fallait se méfier car la mer avalait les jeunes femmes.

Il existe aussi dans notre tribu des contes effrayants sur le pouvoir fascinant, attractif et dangereux de l'eau. Je dis des « contes » mais, pour beaucoup, il s'agit de réalité.

– Peut-être ai-je été un dauphin dans une vie antérieure ? ai-je plaisanté.

– Ou une Mami Wata, corrigea Clarisse.

C'est qu'on appelle ainsi également, par extension, les femmes irrésistibles qui séduisent à volonté, vident les hommes de tout l'amour et de toute la puissance dont elles ont besoin, et les rejettent pour s'en prendre à une nouvelle proie.

Nous en avons ri, mais la plaisanterie avait un goût amer car j'étais à peine guérie du souvenir de Yinka.

Le soleil nous avait séchées et des traînées de sel zébraient nos jambes. Toute la bande a repris le chemin de *Colombey* où nous nous sommes rincées à l'eau douce. Clarisse était inquiète pour ses cheveux. Je l'ai rassurée et nous avons échangé des recettes sur les produits défrisants. En fait, je n'en utilisais pas. Je préférais, comme je l'ai déjà signalé, me coiffer à la garçonne, ce qui était pratique et constituait de surcroît une attitude politique, reliquat du temps de Cornell, à l'époque où les Noirs américains redécouvraient leurs racines.

Afin de ne pas rompre la douceur de ces heures d'oisiveté, Obiang a proposé d'aller déjeuner à l'*Auberge du Cap*, un restaurant un peu délabré, surtout fréquenté par des Européens et dont les propriétaires, un couple de Français établis au Gabon déjà avant l'indépendance, paraissaient entretenir une vieille complicité avec nos hôtes.

Le champagne, qu'Obiang appelait le jus d'okoumé, du nom d'une essence forestière qui constitue la richesse du Gabon, arrosa le déjeuner. Notre hôte refusa les flûtes que le patron nous proposa, affirmant que les gens à la mode dégustaient le jus d'okoumé dans des verres à whisky. Question de bon goût !

Conformément à son habitude, Anicet avait terminé son plat alors que nous n'en étions encore qu'à la moitié du nôtre et, une fois encore, je ne pus m'empêcher de lui en faire le reproche.

– Maîtrise-toi. Prends ton temps, respire !

Clarisse a ri comme une enfant.

– A force de bouffer à ce rythme, il va se détruire l'estomac, insistai-je en essayant toutefois de le prendre sur le ton de la plaisanterie.

Mais ma voix trahissait mon humeur.

– Laisse-le, a dit Clarisse. J'aime voir manger avec plaisir.

– Plaisir ? Il ne sait même pas le prendre. C'est de la gloutonnerie !

Je raconte cela aujourd'hui en me donnant le beau rôle. En fait, Anicet savait se défendre. Et il savait le faire avec humour mais je ne me souviens plus aujourd'hui de sa repartie.

Clarisse est venue à sa rescousse.

– Il ne mange pas trop vite, c'est nous qui mangeons trop lentement. Et puis (elle dit un proverbe en fang ou en miènè, avant de le traduire), pour une même cadence, chaque danseur ne possède-t-il pas son propre pas ?

– Et quand les deux cavaliers n'arrivent pas à accorder leurs pas ?

– Ils doivent se séparer !

Anicet a blêmi mais Obiang a aussitôt plaisanté.

– Les danses où l'on ne se touche pas sont en fait les plus délicieuses, celles qui sont le plus chargées de malices. Alors, qu'importe les pas ! C'est l'harmonie de l'ensemble qui compte.

Anicet et Obiang se disputèrent pour régler l'addition mais ce fut Obiang qui obtint gain de cause grâce à la complicité du patron. Ils rencontrèrent deux Gabonais qu'Obiang invita à poursuivre avec eux l'après-midi à *Colombey*. Je me souviens de l'un d'entre eux. Un jeune médecin que Clarisse appelait « Pendant-les-vacances ». Un homme à la coiffure afro, alors à la mode. Réputé pour sa fidélité, il se dissipait quand venaient les vacances et que sa femme, une Danoise je crois, s'en allait en Europe avec les enfants. Alors, chaque année, invariablement, durant quelques mois, le médecin s'empiffrait de « chair noire », pour reprendre l'expression de Clarisse.

Pendant les vacances, c'était aussi le titre d'une rengaine des années soixante. Je l'avais dansée à plusieurs reprises dans les bras de Yinka.

Nos époux passèrent l'après-midi à jouer aux cartes en compagnie de « Pendant-les-vacances » et de son compagnon. Obiang ouvrit une autre bouteille de jus d'okoumé. Clarisse m'a proposé une promenade dans la forêt voisine. Avant de partir, elle a apporté aux beloteurs une bouteille de jus d'okoumé qu'Obiang a débouchée en sortant un calembour. Nous avons marché d'abord dans de grandes herbes, des matitis, qui nous arrivaient à hauteur du cou et nous noyaient même par endroits. Nous étions dans la brousse, telle qu'on la fuit et tente de l'oublier dans nos villes. Clarisse a aussitôt engagé la conversation sur « Pendant-les-vacances ». Un homme qui, selon elle, gagnait à être mieux connu. C'était son médecin. Il avait, quelques mois auparavant, perdu son père, un homme politique célèbre qui s'était illustré, au cours des années quarante et cinquante, dans la lutte contre le régime de l'indigénat. A l'occasion de son deuil, « Pendant-les-vacances » s'était fait raser la tête comme l'exigeait la coutume de son village et Clarisse assurait que cela lui allait à merveille. Beaucoup mieux que cette coiffure afro qu'elle détestait parce qu'elle donnait l'impression qu'on lui avait enfoncé une toque russe sur la tête. Par cette chaleur !... Le crâne rasé le rendait bien plus sexy.

Aussitôt que nous pénétrâmes dans la forêt, des oiseaux se mirent à s'interpeller dans leur langue comme des sentinelles embusquées qui se seraient donné l'alerte d'un arbre à l'autre : des humains s'introduisaient sur leurs terres ! Clarisse s'arrêta devant un arbuste à petites fleurs blanches et à fruits jaunes dont la forme rappelait celle d'une grenade. L'iboga, m'indiqua-t-elle. Râpée et écrasée, la racine de cet arbre était utilisée par certains fumeurs comme hallucinogène. Il existe l'équivalent chez nous, mais je n'en sais pas le nom.

Sais-je seulement dire fleur en lingala ?

J'ai aussitôt songé à Yinka. Je pensais pourtant m'être guérie de son souvenir mais... Mais, ah ! comme la langue revient toujours là où la dent a été arrachée ! Lui était capable d'identifier chaque arbre, chaque plante, chaque fleur en anglais aussi bien que dans son idiome.

Clarisse savait des histoires hallucinantes sur l'iboga. A quelques détails près, elles ressemblaient à celles que j'avais entendues dans mon enfance, d'un conteur, d'une aînée, de ma mère ou d'une tante. C'était au temps du village. A l'époque, je les buvais sans poser de question, ne demandant qu'à croire. Nous aussi connaissions cette plante. Les Pygmées en utilisaient les vertus pour la chasse de nuit ou pour battre le tam-tam, jusqu'au lever du jour, sans se fatiguer.

Dans la forêt du Cap, les oiseaux continuaient à s'interpeller. On eût dit des voix d'enfants affolés appelant au secours... C'est dans le corps des oiseaux que j'imagine toujours l'âme des défunts. Un oiseau dont le vol coupe mon chemin est encore aujourd'hui pour moi un message angoissant. Enfant, lorsque la petite Madeleine entendait ces chants l'accueillir dans la fraîcheur des bois, qu'elle traversait avec sa mère et les femmes du village, elle se disait aussi qu'il s'agissait de sorciers, d'hommes panthères ou d'âmes de défunts. Dissimulés dans les branchages et les fourrés, ils les épiaient et s'organisaient pour les envelopper et les prendre au piège d'elle ne savait quelle toile d'araignée géante. Ainsi capturées, il leur faudrait s'expliquer. Heureusement que chaque adulte connaissait alors les formules protectrices sacrées, et l'aînée d'entre elles entonnait la chanson appropriée que toute la cohorte reprenait en chœur !

J'affichais l'air détaché de qui se sent dans son élément, alors qu'en réalité j'étais mortifiée par la peur de poser le pied sur un scorpion ou un serpent. La seule vue d'un reptile, même au cinéma, déclenche chez moi une crise d'hystérie.

Clarisse me montra un arbuste aux feuilles lobées.

– Tu connais ?

Elle s'accroupit et, l'empoignant de ses deux mains, essaya de le déraciner.

– C'est le...

Un nom dans sa langue. Difficile à prononcer, encore plus à retenir.

– Avec la racine, poursuivait-elle, essoufflée entre deux essais secs pour arracher la plante, ... avec cette racine, tu fais des miracles, ma sœur.

Je lui vins en aide. Sous l'effet conjugué de nos efforts, la terre commença à se fendiller autour des racines.

– Tu prends ça...

La plante a finalement cédé et nous sommes tombées à la renverse, pouffant comme des collégiennes.

– Quand ton homme, hein...

Clarisse se frappait les mains, comme des cymbales l'une contre l'autre, pour les nettoyer de la poussière.

– Quand ton homme...

Elle baissa la voix, chuchotant presque.

– ...ne peut plus bander, eh bien ! tu vois la racine-là ? Tu la prends et tu la piles, piles, piles, ...

Elle écarquilla les yeux.

– ...tu la piles bien, bien, bien, dans un mortier...

Elle mimait le geste de la pileuse et il y avait quelque chose d'indécent dans son mouvement.

– ...puis tu laisses la poudre sécher un jour et une nuit. Si tu choisis une nuit de pleine lune, le résultat est meilleur. Ensuite, tu la mets à bouillir avec cette feuille et, après, tu sers la décoction à l'homme que tu aimes. Alors, ...

Elle ferma les yeux comme quelqu'un qui déguste la première bouchée d'une mangue mûre.

– Alors, ma chère !

Elle fit non de la tête pour indiquer que cela dépassait l'imagination.

A notre retour à *Colombey*, les hommes jouaient toujours à la belote. Dès qu'il nous aperçut, Obiang déclara qu'ils finissaient, qu'ils finissaient, que c'était la dernière. Clarisse tenta de retenir les deux hommes en les invitant à passer la soirée avec nous, mais ils avaient des engagements.

– Quelle obligation ? a-t-elle rétorqué en se postant, les mains aux hanches, en face du jeune médecin à la coiffure afro.

Amusé, « Pendant-les-vacances » lui a pris la main pour la calmer et Clarisse, apaisée, lui a souri. Obiang a défendu le médecin en priant son épouse de se mêler de ce qui la regardait.

– C'est bien de mes oignons qu'il s'agit, a répliqué Clarisse. Des intérêts de ma sœur ! Elle m'en a chargée avant de partir au Danemark.

– Quel toupet ! s'est esclaffé Obiang.

– Pendant-les-vacances ! a chantonné Clarisse en secouant un index provocateur devant le nez du jeune médecin. Je ferai mon rapport au retour de madame !...

Les deux hommes ont accepté un dernier verre de jus d'okoumé avant de reprendre la route.

Il n'y avait pas grand-chose pour le dîner. Clarisse a demandé les clés du tout-terrain. Obiang les lui a remises en faisant une plaisanterie connue sur la manière de conduire des femmes, ce qui a fait ricaner les hommes. Nous nous sommes rendues à l'*Auberge du Cap*. On y préparait de délicieux poulets grillés à emporter. En attendant la commande, nous nous sommes attablées sur la terrasse. Dans le silence de la nuit, on entendait le bruit régulier de la houle qui déferlait sur le sable. Au loin, un feu clignotait dans le noir. Sans doute une balise. Clarisse s'est mise à me faire des confidences sur son mari. Il était si jaloux qu'elle avait dû abandonner son métier. Infirmière, elle avait souvent des gardes à assurer, et Obiang en étouffait de rage.

Nous avons été interrompues par la patronne qui est venue remettre à Clarisse le poulet grillé. Elle y avait ajouté, à titre gracieux, un riz cantonais et un flacon de nuoc-mâm. L'odeur de chair et d'huile brûlées m'a mise en appétit.

En rentrant, c'est moi qui éclairait le sentier de la lampe-torche. J'étais particulièrement attentive à repérer toute forme suspecte dans les herbes.

Clarisse avait finalement cédé aux pressions de son époux, et avait dû présenter, à regret, sa démission, alors qu'elle occupait une place enviable à la clinique Chambrier, celle-là même où exerçait « Pendant-les-vacances ». Au passage, elle s'est mise à le vanter : le médecin aussi bien que l'homme. « Un cadre, comme le Gabon en possède peu ! » Elle resta un moment à rêver. Tandis que je l'aidais dans la cuisine, elle a repris la conversation que nous avions eue l'après-midi dans la forêt, sur la « plante-là », puis sur l'iboga et sur le culte du Ndzobi. Peu après, les hommes se sont mêlés à la discussion et le débat à pris un moment un tour pseudo-scientifique sur cette secte et celle des Andzimbas. Mais le ton naturel de la palabre l'a emporté, et Obiang, Anicet et Clarisse ont rivalisé d'anecdotes, toutes plus merveilleuses les unes que les autres, sur les pouvoirs surnaturels des membres de ces sociétés secrètes. C'est Clarisse qui a mis fin à cette partie en disant que ce n'était pas bien de parler de ces choses, la nuit, dans la forêt ; que cela pouvait attirer le malheur. Et elle se signa.

Après le dîner, nous nous sommes attardés longtemps encore à bavarder sur la véranda avec, en bruit de fond, les chansons congolaises que diffusait la hifi. Obiang a voulu savoir le sens des mots *motema*, le cœur, et *bolingo*, l'amour, qui reviennent souvent dans les chansons de chez nous, et nous a priés de lui traduire les paroles d'un air dont Libreville raffolait alors. Obiang écoutait avec attention la traduction qu'en faisait Anicet, secouant par instants la tête d'admiration. Moi, je trouvais ces chansons plates et mièvres. Toujours les mêmes rengaines roucoulées par des voix de nez efféminées. Mais qui aurait entendu mes arguments ? Obiang alla jusqu'à parler de génie et nous implora de lui transcrire couplets et refrains.

Une fois encore, j'éprouvais le sentiment d'avoir gâché ma journée dans des futilités qui m'avaient détournée de mes toiles. Je me reprochai ma complaisance, ma lâcheté, me répétant que l'artiste ne doit faire aucune concession sur le prix de son temps. J'aurais voulu disparaître. M'en aller loin, très loin ; effacer toutes les traces derrière moi ; changer de vie, changer de nom. J'ai songé avec nostalgie au temps de Cornell. Mais je ne disais rien, ne laissant rien transparaître, comme quelqu'un qui songe aux moindres détails de son suicide. Écoutant le bavardage des hommes d'une oreille distraite, bercée par la musique, je m'assoupis dans mon fauteuil, ce qui décida la compagnie à se souhaiter la bonne nuit.

Dans la chambre, Anicet s'est tout de suite endormi. L'air de la mer et le jus d'okoumé produisaient leurs effets. Malgré la fatigue, je suis demeurée longtemps éveillée. Attentive aux bruits de la forêt, je retenais mon souffle chaque fois que je percevais le craquement d'une branche. Clarisse et Obiang m'avaient pourtant rassurée : il n'y avait pas de voleur au Gabon, et surtout pas à la campagne.

Une mince cloison en planches séparait la chambre des Obiang de la nôtre. J'entendis soudain la voix de Clarisse.

Elle se plaignait doucement comme si elle avait été prise de douleurs. Puis ses cris devinrent de plus en plus forts. On eût dit les appels au secours d'une femme martyrisée. Au rythme de son souffle, je me rendais compte qu'Anicet poursuivait son sommeil. Dressée sur mon séant, je m'apprêtais à le réveiller quand je reconnus les gémissements du plaisir. D'une voix dont le timbre et les inflexions s'apparentaient à ceux des chanteuses de gospel, quand elles célèbrent le Seigneur, Clarisse invoquait maintenant son partenaire en proférant des vocatifs insensés. Immobile, la poitrine oppressée, j'écoutais chaque détail avec une curiosité qui me donnait la nausée.

La voix de Clarisse devenait grave et rauque et lançait des « oui » éblouis, encourageant quelquefois de manière explicite l'homme à poursuivre encore, toujours. Lui demeurait silencieux, comme un criminel qui, sans pitié, persiste dans l'accomplissement de son forfait, et je ne percevais ni sa voix ni son souffle. Était-il possible qu'Obiang, cet homme chauve et ventru, dont les contrepèteries et les calembours m'insupportaient, se pouvait-il qu'il sût faire plier, monter, monter très haut Clarisse, la femme au corps de reine ? Je me surpris à chronométrer le phénomène comme on compte les secondes qui séparent l'éclair du coup de tonnerre. Et la chose durait, continuait, se prolongeait... Anicet avait cessé de respirer fort. Clarisse poursuivait sa plainte indécente, de plus en plus insupportable, clamant sa volupté d'une voix éraillée. Anicet et moi, l'un et l'autre mortifiés, retenions notre souffle, déconcertés et honteux d'assister à une cérémonie intime que nous aurions voulu ignorer. Brusquement, la femme poussa un hurlement sauvage, un cri désespéré, rageur, terrifiant suivi tout aussitôt par une syllabe d'émerveillement et un mot de reconnaissance, puis plus rien. Le silence fut encore rompu par un dialogue dont on ne pouvait saisir le sens.

J'eus du mal à retrouver le sommeil. Tôt réveillée, le lendemain, je me levai la première. J'eus envie de voir la mer. C'était dimanche, l'air était pur, calme, paisible et la mer immobile. Seulement le bercement d'une houle paisible qui mourait en haletant sur la plage. Pas un baigneur. Un décor lunaire ou de création du monde. Il paraît que c'est de la mer qu'a surgi la vie. J'ai eu, ce matin-là, moi aussi, envie de sortir de l'onde et d'aborder neuve et pure d'autres rivages. Renaître. Ailleurs, loin, très loin.

Des pêcheurs qui levaient leurs filets se sont à peine retournés et ont jeté sur moi un regard indifférent. J'ai nagé lentement jusqu'à la bouée. Déjà, j'arrivais à maintenir ma tête sous l'eau plus longtemps que la veille.

Quand je suis rentré à *Colombey*, Anicet faisait des abdominaux en écoutant la radio. Il avait toujours pris soin de la santé de son corps. Il a vanté la qualité de son transistor, un appareil japonais acheté dans un aéroport, lors de sa dernière mission en Europe. Grâce à lui, il venait de capter Brazzaville et il me fit part des dernières nouvelles du pays. Je n'y prêtai qu'une oreille distraite. Nos bulletins d'information ne disaient pas l'essentiel.

Clarisse, qui nous avait entendus papoter, nous a invités à prendre le petit déjeuner.

– Vous avez pensé à mettre la moustiquaire, au moins ?

a-t-elle demandé. Hier soir, j'ai complètement oublié de vous le rappeler.

Nous avions négligé cette précaution mais n'avions pas été mordus.

— Vous avez eu de la chance, tant mieux !

— Ça dépend, a convenu Obiang, il y a des nuits où on ne les sent pas. C'est peut-être une question de vent.

Clarisse avait les yeux cernés mais le regard apaisé.

— Et ses ronflements ? demanda-t-elle, en désignant son mari d'un geste du menton. Ils ne vous ont pas gênés ?

J'ai pris un air étonné et affirmé avoir dormi comme une souche.

— Tu ne l'as pas entendu ronfler ?

— Y a que toi pour entendre des voix, ma chérie.

— Eh bien ! tu as de la chance. On dirait un marigot de crapauds-buffles.

Quand Anicet nous a rejoints, la conversation s'est poursuivie par des banalités sur des sujets sans importance puis, sans que je puisse expliquer comment, a dévié sur la forêt, sur le bois, sur le commerce de l'okoumé et du limba. J'ai aidé Clarisse à faire la vaisselle, et, abandonnant nos époux, nous avons filé à la plage. Clarisse s'est à peine trempée, toujours à cause de ses cheveux.

Nous nous sommes ensuite abritées sous un badamier pour protéger nos peaux du soleil qui commençait déjà à brûler. Clarisse a bâillé plusieurs fois et s'est plainte de courbatures. « C'est comme si, disait-elle avec une voix pâteuse, l'on m'avait battue, ou si j'avais couru le marathon. Cassée, je suis cassée, ma sœur. » Et ses paupières se rabattaient sur des yeux remplis de bonheur. Elle m'a encore demandée si vraiment nous n'avions pas été réveillés par les ronflements d'Obiang, avant d'éclater d'un rire mystérieux, presque moqueur, affirmant que « l'homme-là, vraiment ! » et elle a tapé dans ses mains sans achever sa phrase. Quelques instants après, elle a entonné une chanson en lingala. Un air que nous avions entendu plusieurs fois la veille, lorsque nous bavardions sur la véranda. Elle s'est trompée dans les paroles et m'a demandée de l'aider parce qu'elle voulait apprendre tous les couplets par cœur. Je lui ai avoué mon ignorance. A quelques exceptions près, je ne prêtais pas grand cas aux paroles de ces rengaines.

La conversation est tombée un instant et je me suis aperçue que Clarisse s'était assoupie. Elle respirait à coups lents et réguliers. Moi, j'avais besoin de bouger. J'ai marché sur la plage, m'arrêtant quelquefois pour ramasser un coquillage.

A mon retour, Clarisse m'a confié qu'elle venait de rêver de « Pendant-les-vacances ». Il avait le crâne rasé, portait un maillot de bain à carreaux noirs et blancs et sa femme s'enfuyait avec le patron de l'*Auberge du Cap*. Il n'était pas nécessaire d'avoir étudié Freud pour interpréter le reste du songe, ce dont je me suis bien sûr gardée. Pour lui donner le change, j'ai prétendu avoir moi aussi fait un rêve étrange durant la nuit. En fait, je ne mentais qu'à moitié. Je lui contai un rêve qui revenait souvent et qui n'a rien à voir avec cette histoire. Que ce fût cette nuit-là, des nuits antérieures ou bien après, quelle importance ? Une pirogue m'emportait loin de rives, aussi accidentées que celles du Djoué, et une lame de fond me culbutait dans la mer. On me tendait la main et je ne parvenais pas à remonter dans l'embarcation...

Une heure plus tard, les hommes nous avaient rejointes et s'étaient remis à jouer au ballon. Obiang était calme, maître de lui mais manquait de souplesse. Aussi alerte que quinze ans plus tôt, Anicet cherchait à tromper son adversaire par sa rapidité.

Un grand vent se leva et le ciel se couvrit de gros ballots

de nuages noirs, nous obligeant à rentrer à Libreville plus tôt que prévu. L'orage dura toute la matinée, et l'après-midi il plut sans discontinuer. J'en éprouvai une impression de soulagement. J'allais retrouver ma cachette et mes toiles.

A part quelques baignades prises le matin, quand la plage était déserte, je ne sortis pas durant deux jours. Inquiète, Clarisse téléphona pour prendre des nouvelles et pour s'excuser de n'avoir pas fait signe. « Pendant-les-vacances » l'avait hospitalisée une journée entière et une nuit pour un contrôle médical. Elle en était épuisée, disait-elle en éclatant d'un rire joyeux et malicieux. Rien de grave. Une routine à laquelle elle se soumettait une fois par mois.

– Une fois par an ! ai-je rectifié.

– Non, par mois, par mois.

Et elle a encore rigolé comme une folle. Je ne sais plus quel prétexte j'ai invoqué pour décliner son offre de venir immédiatement me rendre visite. Nous convînmes d'un rendez-vous le lendemain : elle voulait me faire découvrir le marché de Mont-Boué. Moi, j'étais heureuse d'avoir été oubliée. J'avais mis à profit ces journées pour avancer dans mon travail, griffonnant déjà, sur mon carnet de croquis, des ébauches des tableaux qui suivraient *Les Trois Ndoumbas*.

Le marché de Mont-Boué était une réplique de taille modeste de ceux de Brazzaville. J'ai été tentée par des trente-trois tours d'Akendengué, un Gabonais dont la musique est supérieure à la nôtre, mais les disques coûtaient plus cher qu'à Brazzaville. Clarisse a tenu à m'offrir des pagnes dont j'avais examiné la texture et le dessin avec

attention. Sur le chemin du retour, nous nous sommes arrê-
tées en ville où je lui ai rendu la politesse en lui offrant un
disque de Joan Baez, dont elle ignorait le nom, et que
j'avais appris à connaître à Cornell.

Sacrifiant ma sieste, ce qui fit bouder Anicet, je me remis
au travail dès l'après-midi et toute la journée suivante.
N'eût été la réception à laquelle nous devions accompagner
les Obiang, je serais demeurée fort tard à travailler et me
serais bien passée du dîner. J'étais sur le point de terminer
La Foule. Une composition à deux lectures. Le spectateur
pouvait y voir, selon sa fantaisie, soit une communauté
dansant de joie, soit une masse de bonnes gens, traînées de
force par le parti à un meeting et qui suivent l'orateur d'une
oreille distraite.

Obiang avait tellement insisté qu'Anicet m'enjoignit de
l'accompagner à la soirée. Un cocktail qu'offrait la présidence à l'occasion d'une conférence ministérielle internationale. Un refus, prétendait-il, eût blessé nos hôtes. Moi,
je cédai surtout parce que j'en avais assez de voir mon
époux me faire la tête. Il est vrai que je l'avais ulcéré une
fois de plus, la nuit précédente, en prétextant une hémorra-
gie d'origine gynécologique.

Un ballet de Mercedes et de limousines, uniformément
noires, dans le ton des costumes des hommes, déposaient
des couples en habit de soirée sur le terre-plein en face du
palais. Seules les limousines de messieurs les ministres et
autres dignitaires de la République étaient autorisées à
pénétrer dans la cour d'honneur.

Nous étions noyés dans une foule élégante et bavarde.
Bien qu'Obiang veillât à nous présenter à chacun, je me
sentais un peu en marge de cette masse piaffante et papo-
tante. Une marmaille grouillante un jour de rentrée sco-
laire. Mêmes attroupements, mêmes éclats de rire.

Obiang avait insisté sur la ponctualité. Le protocole était
intraitable. Une fois le président dans la salle, les grilles

rêve de pacotille.

seraient closes. Après avoir cité un proverbe militaire, il avait accompagné son propos de considérations sur les nègres et l'heure, ébauchant même une théorie sur les causes profondes du sous-développement. Selon son habitude, le tout était émaillé de calembours.

Une fois les grilles franchies, on traversait une cour d'honneur où le cuir des chaussures crissait sur le gravier. Anicet évaluait d'un regard circulaire les dimensions et le luxe des lieux, comparait avec Brazzaville et, émerveillé, se demandait si c'était bien en Afrique que nous nous trouvions. Détaillant les marbres miroitants, les colonnes toscanes et les grappes lourdes des lustres, j'ai voulu en connaître le coût. En fait, je n'en avais cure. C'était juste pour marquer de l'intérêt à quelque chose. Obiang a hésité, donné un chiffre en millards, pour lequel je n'avais aucun élément de comparaison. Il s'est repris et a corrigé son information dans le sens de la hausse, ce qui a fait éclater de rire Anicet : c'était, disait-il, d'un ton de connaisseur, plus que le budget annuel de l'État congolais. Obiang a aussitôt fait un long développement pour s'en prendre au FMI, à la Banque mondiale et à la presse française. Il en voulait surtout au _Canard enchaîné_. N'était-ce pas, après tout, leur propre argent, celui de leur pétrole ? Pas celui de la coopération. Et puis, s'il s'en allait un jour, le président n'emporterait pas ce palais sur son dos !... C'était à croire que les Blancs, avec les remarques désobligeantes de leur presse-là, souhaitaient que nous logions dans des huttes ! Toutes ces campagnes de presse étaient menées, bien sûr, pour que nous soyons conformes à l'image que ces messieurs se faisaient de nous. Alors que, les Français eux-mêmes ne laissaient pas, aujourd'hui, d'exhiber Versailles avec fierté, non ? Et qui savait ce que Louis XIV avait pris dans le trésor public pour s'offrir ce caprice ? Clarisse et Anicet approuvèrent d'un hochement de tête. Mis en verve, Obiang a conté une anecdote dont il a garanti l'authenticité.

caricature de l'univers présidentiel.

Il parlait haut et fort, jetant des coups d'œil rapides de côté pour bien vérifier qu'il était entendu à la ronde.

– J'étais en Union soviétique et voilà-t-il pas que quelqu'un s'aventure à me demander s'il était vrai que nous habitions dans les arbres. Et comment, lui ai-je répondu, même que votre ambassadeur loge sur le palmier qui est à côté de mon fromager !

Entraînés par le flot général, nous veillions à ne pas nous perdre et suivions l'itinéraire que la foule des convives empruntait avec des réflexes d'habitués. Nous dûmes nous engouffrer dans un ascenseur aux parois de métal doré, déjà bondé, où des regards hautains nous maintenaient à distance. Hormis une femme qui, par-dessus l'épaule d'un homme, criait à une autre quelque chose en fang ou en miènè, le troupeau de courtisans restait figé dans un silence guindé. Après avoir salué un ambassadeur européen, Obiang lança, avec assez de force pour être entendu, un calembour qu'il nous avait déjà sorti le jour de notre arrivée. Le diplomate esquissa un sourire de politesse.

Un maître de cérémonie en frac procédait à un tri mystérieux à l'entrée de la salle de réception. Le visage sévère, une fine baguette d'ébène incrustée d'ivoire à la main, effectuant des gestes d'automate, penchant la tête pour bien entendre les nom et titre que les invités lui murmuraient, il prenait plaisir à les aboyer pompeusement dans un charabia qui ressemblait peut-être à ce qu'on lui avait chuchoté. Tour à tour, par couple ou l'un après l'autre, les premiers de la file se détachaient de la longue queue et, du pas précipité d'un récipiendaire, s'avançaient pour saluer le chef de l'État lequel, cérémonieux et flanqué de son épouse, serrait patiemment la main de chacun. Par moments, il marquait une pause dans son travail répétitif, s'accordant un répit pour échanger quelques mots avec un ami, avec tel diplomate dont l'influence était connue ou avec un homme politique vers qui se dirigeaient alors ses faveurs. Des courtisans audacieux tentaient de pousser l'avantage en faisant durer ce plaisir, qui pour arracher la promesse d'une audience ou d'un privilège, qui pour simplement se faire valoir quelques instants, espérant que l'attention du chef de l'État à leur égard alimenterait les conversations des salons des beaux quartiers. Anxieux, ils scrutaient les changements d'expression du maître des lieux. Un aide du chambellan s'approchait alors et, intraitable, entraînait le personnage envahissant en le prenant par le bras ainsi qu'une fiancée. La présidente a embrassé Clarisse et, après un sourire sec, m'a détaillée de la tête aux pieds. Peut-être à cause de ma coiffure à la garçonne et de mon pagne. Les Gabonaises préfèrent la robe occidentale.

Au-dessus du bourdonnement de la salle, fusaient des éclats de rire incontrôlés. Nous fûmes tout de suite avalés par la foule. Nous tenant par la main, comme pour nous entraîner dans une farandole, Obiang nous confia à l'oreille, un sourire malicieux au coin des lèvres, que le pittoresque aboyeur de l'entrée était un souverain : le descendant du roi Denis. Anicet, intéressé, a tendu un cou curieux en direction du majordome.

– Le vrai fils du roi Denis ! répéta Obiang.

A peine eut-il terminé sa phrase qu'il fut abordé par un individu auquel il nous présenta. Un fâcheux vint ensuite l'arracher à ce groupe puis un autre. Le scénario se répéta à plusieurs reprises comme dans un gag soigneusement monté, et, sans doute par ce qu'il se sentait ridicule à ce petit jeu, Obiang cessa de nous présenter.

Maquillée avec goût, les cheveux défrisés et lâchés, Clarisse arborait des boucles d'oreilles qui rehaussaient son profil de reine d'Égypte. Plusieurs fois, des hommes se turent pour la laisser passer. Apparemment indifférente à ces encens dont l'odeur ne laissait pas de lui chatouiller les narines, rayonnante comme une princesse un soir de gloire, elle allait majestueuse, me prenant par la main et m'invitant à tenter d'atteindre le buffet. Un mur de vautours affamés, en costumes noirs et robes lamées, fleurant les eaux de toilette dont les noms étaient à la mode à Paris, formait un barrage impossible à franchir. Il fallut qu'Anicet se dévouât. Il se faufila en jouant des coudes jusqu'à la table où de méprisants maîtres d'hôtel, en smoking et nœud papillon noir, offraient chichement des boissons à toutes ces mains tendues.

Coquette et guillerette, Clarisse badinait et flirtait, allumant des espoirs insensés chez celui-ci ou celui-là, presque à la barbe de son époux, qui trinquait et avalait des coupes de jus d'okoumé en alignant calembours et contrepèteries.

Toutes ces réceptions se ressemblaient. Je n'en voyais pas le sens. Debout, sans pouvoir nous asseoir, un verre à la main, nous ricochions d'un groupe à un autre. Nous ne distinguions pas le nom de ceux qu'on nous présentait et avions à peine le temps d'ébaucher avec eux un début de conversation, très vite hachée, suivie de points de suspension parce que l'interlocuteur, ou nous-mêmes, étions abordés ou tirés par la manche. Difficile de savourer les canapés, les petits fours et les sucreries, sans jouer des coudes. Et pour venir à cette foire d'empoigne, chacun s'était vêtu comme pour se rendre à une noce, ayant consacré plus de temps à se parfumer, se coiffer et se pomponner, qu'il n'en passerait à la soirée.

Des rires bruyants, presque vulgaires, me tirèrent de ma rêverie et Obiang répéta pour moi une contrepèterie que je n'avais pas entendue. Clarisse regarda son mari en esquissant un mouvement de lèvres méprisant, suivi d'un bruit de bouche.

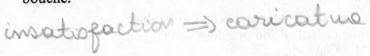

Montrant d'un geste las les colonnes, les lustres, la fête et son cadre, Anicet disait que ceux qui les gouvernaient au Congo, avec leur option-là, avaient fait perdre du terrain au pays.

– Quand je pense au bled qu'était Libreville alors que Brazzaville était déjà la capitale de l'AEF !

Les courants et tourbillons nous avaient rejetés un peu à l'écart de la foule qui jacassait, s'empiffrait et se bousculait pour un autre verre de champagne.

Un couple s'arrêta à notre hauteur et l'homme, vêtu d'un ample boubou bleu ciel, s'est courbé devant moi, s'exprimant en anglais.

– Vous permettez ?

Une voix de basse. Juste le timbre de celle de Louis Armstrong quand il présente ses musiciens, au début d'un concert. Il a dû lire le trouble sur mon visage. Pétrifiée, j'étais incapable de faire un geste, d'ouvrir la bouche et ma tentative de sourire a dû ressembler à une grimace. L'homme à la voix de chanteur de jazz était coiffé d'un bonnet yorouba qui s'affaissait au sommet. Il me fixa dans les yeux.

J'avais immédiatement reconnu Yinka.

Calme et lent, il me présenta son épouse.

– Mrs Olayodé.

Je ne l'imaginais pas ainsi. Une jeune femme au regard vif et à la peau d'olive, vêtue d'un pagne ajouré en basin.

Coiffée d'un foulard noué à la dahoméenne, elle m'adressa un sourire. Son mari lui avait beaucoup parlé de moi, m'expliqua-t-elle. Gauche, je manquai de repartie. Une Gabonaise vêtue du pagne du parti, et qui flanquait le couple de Nigérians, se rapprocha de notre cercle. Nerveuse et tendue, elle s'apprêtait à traduire quand Yinka l'interrompit d'un geste impérial.

– Madame (il m'adressa un mouvement de tête révérencieux) comprend parfaitement l'anglais.

La voix blanche, je lui présentai mon époux.

– Peut-être, reprit l'homme en boubou à l'intention d'Anicet, ne le savez-vous pas mais j'ai eu le privilège, au cours d'un voyage dans votre pays, d'avoir madame...

Il se tourna de nouveau vers moi avec un geste de seigneur un peu théâtral.

– ... comme interprète.

J'ai réussi à dominer mon trouble et me suis mise à traduire. Anicet ne trouvait rien d'autre à faire que de secouer la tête, l'air inspiré.

– Son anglais est absolument fantastique. Grâce à elle...

Il s'arrêta un instant, fit admirer l'éclat de ses dents et reprit en changeant de ton.

– Il faudrait que l'Afrique se décide à mettre fin à ces barrières linguistiques héritées de la colonisation.

Il ajouta quelques lieux communs qui constituent la matière de la plupart des discours officiels. J'ai dû l'interrompre. Je voulais le traduire, une phrase après l'autre. Derrière les Olayodé, l'interprète gabonaise, raide comme un piquet, me fusillait du regard.

Comme s'il se sentait maintenant plus à l'aise, Anicet, après avoir dit son plaisir de savoir que son épouse ait pu le (en fait il disait *Son Excellence*, sans pourtant rien savoir du rang de Yinka) satisfaire, prononça quelques phrases flatteuses sur mes mérites et, comme un oncle qui valorise sa nièce aux négociations pour la dot, il mentionna mon séjour aux États-Unis.

L'interprète gabonaise plissa le front. Sans doute parce que, dans ma traduction, je me permettais de reconstruire totalement les phrases d'Anicet. Je n'ai évidemment pas répété les compliments que Yinka se croyait tenu de faire sur moi.

Les deux hommes poursuivirent un instant leur dialogue. Au début, je traduisais une fois vers la gauche, une fois vers la droite. Je n'avais aucune difficulté à trouver les mots dans une langue ou dans l'autre, mais me ravisai et demandai à la Gabonaise de traduire en français. Il s'agissait d'une de ces conversations qui, à des variantes près, se répète chaque fois que des Africains se rencontrent et veulent prouver qu'ils réfléchissent à l'évolution du continent. Malgré la concentration qu'exigeait la traduction simultanée, la Gabonaise avait retrouvé son sourire. Non, disaient en substance les hommes, ça ne va pas, ça ne va pas, faudrait changer tout ça. Et vite, le plus vite possible.

Dans la voiture sur le chemin du retour, Clarisse, enjouée, avait clamé qu'Anicet et moi avions séduit beaucoup de leurs amis. La femme d'un dignitaire nous avait trouvés particulièrement bien assortis : un beau couple ! Il n'était pas, selon elle, nécessaire de nous observer longtemps pour distinguer l'harmonie qui régnait dans notre ménage. La dame, déclara Clarisse, tenait à organiser une réception en notre honneur avant notre départ.

Anicet a dû retrouver dans mes papiers la photo prise au pied de la passerelle. Je la gardais au lycée, dans les tiroirs de mon bureau, dont j'avais fait le tabernacle de mes secrets. La décision de mon départ a été si brusque que j'ai oublié de les vider.

Le haut fonctionnaire chargé d'accueillir les invités arbore un sourire de vainqueur. Chief Yinka Olayodé a lui un visage plus austère. On croirait qu'il boude. A sa droite, un homme en boubou, bonnet cylindrique de faible hauteur à décorations verticales, sourit modestement. C'est l'ambassadeur du Nigeria à Brazzaville. Complètement sur la gauche, un individu, plus petit que tous et aux mensurations de chimpanzé, bombe le torse et relève le menton. Il m'avait un peu bousculée, parce qu'il voulait poser à côté de son chef de délégation. Enfin, sur la droite de l'épreuve, à côté du haut fonctionnaire congolais, on distingue une partie du pagne que je portais ce jour-là ainsi que la moitié de mon visage. Il existait une autre photo sur laquelle Chief était à son avantage mais on ne m'y voyait pas. Je trouvais ridicule ce jeu de coudes auquel se livraient les membres de la délégation pour apparaître en bonne place à côté de Chief, et je m'étais mise à l'écart. Longtemps, j'avais gardé ce souvenir puis l'avais détruit, de peur qu'Anicet me demandât à quelle fin je conservais une épreuve où je ne figurais pas.

A leur mise, j'avais aussitôt identifié les Nigérians. Costumes gris croisés et mal coupés, la raie bien tracée sur la gauche à la Lumumba, ils correspondaient à l'image que je me faisais des anglophones. Mais lui était différent. Grand, l'allure sportive, Chief Olayodé avait dans son maintien cette élégance princière que les Sénégalais et les Maliens possèdent comme un attribut de leur race. N'eût été sa taille, il aurait pu passer pour le frère aîné de Sammy Davis junior. Même visage, même moustache.

Une légère brume léchait encore les collines de La-Case-Barnier. La saison sèche avait commencé tard mais s'annonçait plus froide que de coutume.

J'ai pris place à l'avant de la voiture, à côté du chauffeur, conformément aux instructions que nous avait données le protocole.

C'est moi qui ai engagé la conversation, au carrefour de la Patte-d'Oie, pour montrer à Chief le stade de la Révolution. J'ai agrémenté ma présentation d'un commentaire sur le nombre de places et l'histoire encore récente du monument. Plus loin, devant le zoo, j'ai refait mon numéro de guide cultivé. Mes indications n'impressionnaient pas notre visiteur, ce qui accroissait mon trac. Quand nous sommes arrivés à hauteur du quartier OCH, le chauffeur a fait fonctionner la sirène pour pouvoir brûler le feu rouge de l'Hôpital général. J'ai juste eu le temps de montrer la chancellerie du Nigeria.

Dans le hall de l'*Olympic Palace,* le protocole avait bien fait les choses. Les formalités d'enregistrement furent rapidement remplies et quelqu'un se présenta pour conduire notre invité dans sa chambre. Toujours sévère et distant, celui-ci souhaita se reposer à cause de la fatigue du voyage. Sans parler l'anglais affecté des anciens d'Oxford, il s'exprimait avec un accent toutefois moins marqué que celui des Yoroubas.

J'ai indiqué à Chief que je me trouverais à la réception

à partir de midi et demi pour le déjeuner et, avant de prendre congé, je lui ai remis une carte de visite pour le cas où il aurait besoin de moi. Une carte simple avec mes nom et prénom, notre adresse et le numéro de téléphone. Je les avais fait faire récemment. En les voyant, Anicet avait esquissé une moue de mépris. Il ne comprenait pas pourquoi j'avais dédaigné de faire figurer mes titres et diplômes universitaires.

Chief Olayodé a hoché lentement la tête, a lu attentivement la carte et, le visage sévère, s'est légèrement courbé avant de pivoter et de s'engager dans l'escalier à la suite du garçon qui portait sa valise.

Est-il sage de revenir ainsi sur le passé ?

Je ne sais quel bruissement m'indique qu'il vaudrait mieux me taire. Si ma mère savait lire et avait connaissance de cette confession, elle me conseillerait de m'arrêter, de brûler ces feuilles et d'en semer les cendres au vent. Ce n'est pas seulement affaire de pudeur et de bienséance. Les péchés magiques doivent demeurer blottis dans leur écrin. Dès qu'on les en sort pour les exhiber, leur parfum se dissipe à jamais. Mais plus je vois les gens passer dans la rue, moins j'ai honte d'être montrée du doigt.

C'est peut-être par la sonnerie du téléphone que tout a débuté.

Il m'est aujourd'hui difficile de préciser le mois. Était-ce en juin ou en juillet ? En tout cas, pas en mai. La saison sèche s'était déjà bien installée.

Anicet m'avait téléphoné la veille de Washington et je lui avais crié, cherchant à me faire entendre par-dessus les parasites, que c'était folie d'appeler de si loin ; qu'il allait dépenser tout son *per diem* et se ruiner.

La banque l'avait sélectionné pour un stage de deux mois au FMI. C'était, depuis notre mariage, la première fois que nous étions amenés à demeurer séparés pour une aussi longue période. Au début, Anicet avait envisagé de s'endetter pour que je l'accompagne.

Le voyage me tentait.

94

Après son départ, j'ai connu quelques jours de désarroi. Félicité, une amie, ancienne condisciple à l'École normale, me secouait et me suggérait de me défaire de mon côté « vieux jeu ».

– Allons, tu n'es plus une enfant pour pleurer ainsi l'absence de papa. Donne-moi ta place, tiens. Moi, un peu de célibat me referait la santé !

Je n'allais pas moraliser.

Deux fois de suite, j'ai résisté à ses propositions de sortie. Sans me consulter, elle avait déjà tout combiné, « tout boutiqué », comme elle aimait à dire.

Quand retentit la sonnerie du téléphone, j'étais dans ma cachette, reprenant une toile que, à mon corps défendant, j'avais abandonnée depuis des mois.

Félicité était au bout du fil.

Une conférence internationale sur les bois africains débutait la semaine suivante et les organisateurs étaient à la recherche d'une interprète. J'enseignais l'anglais et j'avais effectué un séjour d'un an aux États-Unis. J'étais la meilleure candidate.

Au cours de la réunion d'instruction où le protocole nous avait transmis les consignes, on m'avait précisé que je devrais servir de guide et d'accompagnatrice au président de la délégation nigériane, Chief Yinka Olayodé. Dès le début, je me trouvai confronté à un problème auquel nul ne m'avait préparée. Chief Olayodé avait exigé que son secrétaire, un homme à l'allure de chimpanzé, soit également logé à l'*Olympic Palace*. Comme les autres membres de la délégation, une chambre lui avait été réservée au *Cosmos*. Après moult palabres où l'ambassadeur du Nigeria, puis un haut fonctionnaire de nos Affaires étrangères étaient intervenus, le protocole avait fini par céder. Dans les couloirs, les responsables de l'organisation, contrariés par ce changement, expliquaient avec des gestes d'impuissance que le bonhomme était en fait, selon les uns, le garde du corps de Chief Olayodé, selon les autres, son féticheur. Quelqu'un évoqua même des « mœurs spéciales ».

A l'heure du déjeuner, le reste de la délégation rejoignit son chef à l'*Olympic Palace*. Les Nigérians avaient troqué leurs costumes contre des boubous. Quand j'arrivai, ils étaient déjà là, assis et fumant dans les profonds fauteuils du hall d'entrée, les yeux encore embués d'un sommeil dont ils s'étaient dégagés avec beaucoup de regret.

Chief Olayodé est descendu de sa chambre dans un boubou en basin bleu ciel. Une tenue flambant neuve, visiblement coupée sur mesure. Quand il écartait les bras, on aurait dit un oiseau royal qui se déployait. En costume, un attaché-case à la main, le chimpanzé le suivait, coulant un regard hypocrite et sévère dans ma direction.

Il y a, à l'*Olympic Palace,* dans le prolongement du hall de réception, légèrement en contrebas, une véranda au sol carrelé. Un damier noir et blanc, juste avant la pelouse de passepalum et la haie d'hibiscus. C'est là qu'à l'époque se dressaient les tables du restaurant. L'air était silencieux et le soleil ne parvenait toujours pas à percer la couche de nuages immobiles. J'ai remis mon châle sur les épaules. Félicité était attablée avec son délégué, un Camerounais arrivé la veille. Elle m'a fait un signe en remuant les doigts comme en direction d'un bébé qu'on amuse et m'a adressé un sourire complice. On aurait pu se méprendre sur les regards et les sourires qu'ils échangeaient. Leurs peaux indiquaient qu'ils sortaient de la douche. Je croyais apercevoir une flamme brillante dans leurs yeux battus par la fatigue.

Nous nous sommes installés à plusieurs tables d'eux.

Chief Olayodé parlait d'une voix de basse, légèrement caverneuse. Il ouvrit le menu, sourit et dit qu'il s'en remettait à moi. Il voulait, pour faire connaissance avec le pays, manger congolais. J'ai répondu avec gaucherie que s'ils désiraient de la cuisine du pays, je pourrais, au cours de leur séjour, organiser quelque chose.

– Organiser ? La vie congolaise n'est donc pas naturelle ici ?

J'ai fait semblant de ne pas comprendre et ils se sont mis à parler yorouba. L'homme à l'allure de chimpanzé s'enfermait dans un mutisme impénétrable et les autres l'ignoraient. Après un long et laborieux dialogue, j'ai fini par composer le même menu pour tous.

Peu après, j'ai aperçu Félicité se lever avec son délégué. L'homme devait avoir beaucoup d'esprit car elle riait comme une écervelée. En face de la réception, ils se sont séparés en se serrant la main. L'homme est monté dans sa chambre et Félicité est revenue vers moi pour me confier des choses à l'oreille. Les Nigérians ne cessaient de la détailler, l'un d'eux n'hésitant même pas à se retourner pour observer sa démarche lorsqu'elle est repartie. Après un autre arrêt devant la réception, elle a emprunté l'escalier qui conduisait aux chambres.

Nous nous connaissions depuis le lycée. Félicité avait abandonné ses études en cours de route à cause d'une grossesse mais nous ne nous étions jamais perdues de vue. Elle m'avait été d'un grand soutien lorsque, après des fausses-couches successives, les parents d'Anicet me déclarèrent stérile et pressèrent leur fils de répudier cette femme frappée de malédiction. « S'ils ne veulent plus de toi, me disait Félicité, va-t'en sans pleurnicher. Ne pas avoir d'enfant ne constitue pas une infirmité. »

Les Nigérians parlaient vite et j'avais du mal à suivre leur bavardage. Je me suis rendu compte que j'avais perdu l'habitude de l'anglais parlé car je ne percevais pas certaines nuances. Peut-être était-ce dû à leur prononciation ou bien à l'usage du pidgin. L'homme en bout de table n'est jamais intervenu. Il paraissait absent et jetait souvent des regards inquiets autour de lui.

La voix de Chief Olayodé était cassée, légèrement parasitée mais forte et fascinante comme celle des chanteurs de jazz.

Un timide rayon de soleil diffusait une lumière rasante sur la pelouse, entre la véranda et la haie d'hibiscus.

Vers la fin du repas, les Nigérians ont eu de nouveau recours à moi pour le dessert. Après quelques sarcasmes sur l'absence de fruits du pays, Chief Olayodé a choisi une pomme puis, se ravisant, a voulu savoir d'où elle venait. J'ai dit quelques mots en lingala au maître d'hôtel et j'ai bien sûr affirmé qu'il s'agissait d'un fruit congolais. Chief Olayodé a souri pour la première fois, les autres ont éclaté

98

de rire, à l'exception de l'homme à l'allure de chimpanzé, toujours aussi sévère et préoccupé. Le serveur n'avait pas avoué, comme je le craignais, que nous les importions d'Afrique du Sud.

Ils se sont lancés dans une discussion sur les difficultés de communication dans le continent, d'abord en commentant leur voyage puis en citant d'autres exemples.

– Le chemin le plus court pour se rendre à Nairobi de Lagos, c'est de passer par Londres !

L'un d'eux a renchéri en décrivant les paradoxes des lignes téléphoniques. Bien que j'eusse mille et une fois déjà entendu ce débat dans d'autres bouches, j'écoutais avec politesse. Chief Olayodé coupa court à la palabre et, d'un ton chevaleresque, me demanda, en regardant le ciel, si c'était la saison des pluies.

– Non, la saison sèche.

– Vous voulez dire qu'il ne va pas pleuvoir aujourd'hui ? Il me défiait du regard.

– Non.

– Mais tous ces nuages alors ?

– Nos ciels les plus purs sont ceux de la saison des pluies.

Pour bien lui expliquer, je lui ai récité des phrases d'un cours de géographie, apprises par cœur autrefois, en n'omettant pas de mentionner au passage les effets du courant de Benguela.

Nous avions tous terminé notre dessert. Chief Olayodé, lui, mangeait lentement en prenant son temps, savourant chaque bouchée.

L'un de nous a tourné la tête vers la villa voisine à cause du bruit d'une gousse sèche tombée de la branche d'un flamboyant qui a roulé sur un toit de tôle. Chief Olayodé avait réussi à éplucher sa pomme en faisant un serpentin d'un seul tenant. Il le tint avec deux doigts au-dessus de son assiette et le posa délicatement dans la mienne.

– C'est simple. Une question de maîtrise de soi et de patience, me dit-il à voix basse.

Pour le flatter, un membre de la délégation a indiqué que la patience et la maîtrise de soi étaient deux vertus que l'Afrique était en train de perdre. Nous voulions tout accomplir vite, vite, vite, survolant tout superficiellement.

– Ce rythme du diable et cette légèreté font un gâchis qu'on n'a pas encore évalué, a dit le plus âgé en me regardant.

J'ai approuvé d'un signe de la tête.

– Quelle est la saison la plus fraîche ? a demandé un Nigérian.

– La saison sèche. C'est...

Avant de poursuivre, j'ai souri pour bien indiquer que je ne me prenais pas au sérieux.

– ...C'est notre hiver.

Et j'ai dessiné de mes doigts des guillemets dans l'espace. Concentré sur son plaisir, Chief Olayodé mastiquait lentement, ne cherchant pas à nous rattraper. Je crois même qu'il nous a infligé une courte leçon d'hygiène alimentaire.

La délégation passa l'après-midi et la soirée à la résidence de l'ambassadeur du Nigeria. Avant de nous séparer, j'avais demandé à Chief Olayodé de me fournir une copie de son discours.

– Malheureusement, dit-il en arborant un sourire mystérieux, il n'est pas tout à fait au point.

Il a regardé son secrétaire d'un air embarrassé.

– Vous ne pourrez pas me lire, madame. Mon texte est encore à l'état de manuscrit.

Il avait parlé en me tournant le dos.

J'ai quand même insisté et Chief Olayodé a réfléchi un instant avant de me fixer d'un regard dur et en haussant les épaules.

– Ce soir ? ai-je murmuré pour briser un silence qui m'indisposait et pour échapper à son regard d'acier.

– Je suis désolé, madame, mais n'insistez pas. Je revois toujours mes discours jusqu'à la dernière minute.

Je me suis sentie stupide et je l'ai détesté. Il avait bien la fatuité des hommes politiques.

– Vous savez...

Une voix de basse comme en modulation de fréquence.

– Vous savez, quand on est dans la salle, il y a quelque chose dans l'atmosphère et la manière d'applaudir du public qui indique ce qu'il faut changer. Les enseignants et les bons orateurs sentent ça tout de suite. Mais...

Il ne termina pas sa phrase.

– C'est pour la traduction, insistai-je. Peu importent les retouches de dernière minute.

– Mes corrections ne seront pas seulement de détail, madame.

Excédé, Chief Olayodé a poussé un soupir, hoché la tête et esquissé un geste de résignation avant de s'adresser en yorouba à son secrétaire qui est allé se caler dans un coin pour ouvrir l'attaché-case en veillant à ce que personne ne lût le code par-dessus son épaule.

– De toute façon, c'est bien trop long, bougonna Chief Olayodé en parcourant les feuillets que lui avait remis son secrétaire.

Il s'adressa de nouveau en yorouba à celui-ci, qui lui répondit en se figeant dans un garde-à-vous théâtral. Chief Olayodé me traduisit.

– Vous l'aurez peut-être en fin d'après-midi. Le temps pour mon secrétaire de taper ce brouillon.

– Cet après-midi ?... Faites voir, monsieur. Je pourrais peut-être vous lire.

Le manuscrit était couvert d'une écriture épaisse qui ressemblait à celles des étudiants de Cornell.

– Non, je n'aurais pas de mal à vous lire.

– Généralement personne ne me comprend, dit-il tout à trac.

En fait, je préjugeais de mes capacités à déchiffrer toutes les lignes car le document était surchargé de nombreux gribouillages.

– Je vais faire une photocopie.

– Eh bien, faites, faites. Mais, je vous préviens, peut-être que je changerai tout.

Avant de sortir, un camarade du protocole, de permanence à l'hôtel, m'a demandé si je n'avais pas aperçu Félicité. Son mari était au bout du fil.

– Je l'ai vue sortir, ai-je spontanément menti.

– Où se cache-t-elle donc ? La femme-là n'est pas chargée de la délégation du Cameroun, alors ?

– Il me semble pourtant que si.

– *Or que* la voiture du Cameroun est là. Et la clé du délégué n'est pas dans son casier.

– En tout cas, elle est partie. Je l'ai vue. Sans doute dans une autre voiture.

A la suite de mes deux fausses-couches, quelques années auparavant, Anicet m'avait obtenu, grâce à ses relations, une évacuation sanitaire en France. Selon le diagnostic du professeur que je consultai, mon cas était banal : une malformation congénitale sans grande conséquence ; une légère intervention chirurgicale remédierait à la situation, pourvu que la prochaine grossesse fût l'objet d'une surveillance étroite.

Pour ma mère, toute opération comportait un risque. Il n'y a pas de mot spécial pour traduire dans nos langues l'acte en termes scientifiques. Se faire opérer est, en lingala, « se faire éventrer »... Même quand la médecine des Blancs a fourni la preuve de son efficacité, on ne s'aventure pas à prendre de risques avec la seule jumelle qui vous reste, sans s'entourer de précautions et de garanties. La vieille femme qui lisait dans les cauris conseilla à ma mère d'attendre cinq saisons des pluies avant de me soumettre au verdict du médecin.

Nous avons caché cette démarche à Anicet. Non pas qu'il mît en doute la science des clairvoyants. Mais tout est affaire de coutumes. Celles de sa tribu le rassuraient, celles de la mienne l'inquiétait.

Je dois avouer que, de mon côté, l'idée d'anesthésie générale m'effrayait et j'alléguai donc les délais nécessaires à la rédaction de ma thèse pour différer l'opération. Félicité me suggérait d'expliquer à mon mari que, tout bien considéré, faire la chose-là était aussi délicieuse même quand ce n'était pas pour faire un enfant. Pourquoi, dès lors, se mettre martel en tête ?...

Quelques semaines plus tard, dans un moment de faiblesse, Anicet céda à la pression de son clan et exigea que ma famille lui restituât la dot.

Il a plus souffert que moi de la séparation qui s'ensuivit.

Moins de six mois après, j'étais traduite devant un conseil des deux familles présidé par nos oncles maternels. Anicet y implora mon pardon. Sa famille accepta de revenir à de bons sentiments mais posa quelques conditions.

C'était l'année qui précéda la mort de papa. Il venait d'être admis à la retraite. Malgré la production d'un acte de jugement supplétif qui le rajeunissait, pour la troisième fois dans sa carrière, l'administration coloniale demeura ferme. Père en fut brisé. Nos ressources avaient diminué.

C'est dans ce climat que ma mère me supplia d'accepter les conditions posées par la famille d'Anicet : la nôtre ne serait jamais en mesure de procéder à une restitution de dot. Je dus donc héberger Germaine et Blandine : une nièce éloignée d'Anicet et la fille qu'il avait eue avec une brève connaissance, alors qu'il était étudiant. Deux adolescentes qui lambinaient dans leurs études et que leurs familles ne pouvaient plus prendre en charge. « Passe encore pour la bâtarde, me disait Félicité, si tu aimes ton mari, faut aimer ses œuvres même fabriquées dans la rue. Mais les nièces-là ! Ouvre l'œil, ma sœur ! Souvent, ce sont nos rivales : les souris qui te mangent la plante des pieds pendant ton sommeil sont celles qui vivent sous ton lit. »

La veille de son départ pour les États-Unis, Anicet voulait se coucher tôt. Je promis de le rejoindre mais m'attardais auparavant à des petits riens ; la vaisselle, des copies à corriger, quelques rangements à effectuer, la liste des achats dont je le chargeais : bouquins, jeans, produits de beauté pour cheveux crépus et peau noire... Quand je pénétrai dans la chambre, la lumière était éteinte et j'entendis le rythme régulier de son souffle, presqu'un ronflement. Mais à peine sous les draps, je le sentis remuer et se rapprocher de moi. Contrairement à son habitude, il s'était couché nu. Il se fit tendre et affectueux. Le cœur me manquait, je ne répondis pas à ses caresses, mais le laissais faire. Anicet était un partenaire habile. Et moi, j'ai du mal à résister à la fièvre de la volupté montante. Je m'abandonne vite aux flammes qui lèchent mon corps. Quand il découvrit que la période n'était pas propice, il poussa un soupir d'irritation et lança un juron *en langue*. J'avais beau expliquer d'une voix malheureuse que ce n'était pas ma faute, que je n'étais pas en forme, j'avais beau évoquer ma dernière visite chez le gynécologue, qui craignait des troubles hormonaux, il ne voulait rien entendre. Il a traité tous les médecins d'ignorants et nous avons eu une conversation aigre-douce qui ressemblait à d'autres que nous avions eues auparavant. En fait, dès la nuit de nos noces lorsque, épuisée par la fête, j'avais préféré dormir, lui promettant toutefois que le lendemain matin... Lui rétorquait qu'il était *du soir*.

Isolés dans le noir de la chambre, nous chuchotions comme si nous avions peur d'être entendus. Anicet invoquait son départ et la longue séparation que nous allions subir : n'était-il pas dès lors naturel de demeurer très proches l'un de l'autre, de s'assembler pour faire passer la force du courant d'un corps à l'autre ? Les couples normaux ne consacraient-ils pas les nuits qui précèdent les départs à s'imprégner chacun de l'odeur de l'autre et à se faire des câlins jusqu'à tomber d'épuisement ? Mais étions-nous un couple normal ? Tout se passait-il selon les lois de la nature ? Je gardai ces questions au fond de ma poitrine et le laissai déverser toute sa bile.

La veille déjà, j'avais senti un frémissement en lui. Tandis que j'officiais devant mon chevalet, il avait ouvert la porte de ma cachette et s'était approché de moi par-derrière. Il avait posé ses mains sur mes hanches, fait des compliments sur ma tenue. Je portais ce soir-là, je crois, un tee-shirt goyave flottant et un corsaire collant et léger, jaune alamanda. Sans me retourner, je lui adressai un sourire de reconnaissance. Il se domina et regarda ma toile qu'il apprécia d'un léger mouvement de tête en biais.

– Tu n'as pas sommeil ?

– Je te rejoins tout de suite, lui répondis-je en l'embrassant prestement, je veux finir ça.

Je mettais la dernière touche à l'un de mes personnages dont, après des semaines de tâtonnement, j'avais enfin trouvé la pose appropriée pour assurer l'équilibre de l'ensemble.

Anicet contempla mes pieds nus et se rapprocha de moi, posant délicatement une main sur mon épaule ; il se colla contre mon dos et m'embrassa lentement quelque part entre la nuque et le cou. Je sentis son sexe contre ma fesse. Mon Dieu !... Je frémis et le suppliai d'arrêter. Je voulais terminer mon tableau.

– Je suis juste venu te souhaiter bonne nuit, Madeleine.

Une autre terre existe, Madeleine.

– Mais tu me fais des choses, murmurai-je d'une voix altérée.

– Je vais me coucher.

Tout commença lentement, avec mesure et galanterie. Il me flattait à souhait et faisait naître en moi une soif si violente que l'envie de me désaltérer devenait indomptable. J'ouvris les lèvres et commençai à participer.

Mais, une fois encore, brusquement, comme un verre qui vous glisse des mains et se rompt en mille éclats, l'homme me prit de court.

Piteux, Anicet voulait s'expliquer... Il ne savait plus où il en était, s'excusait et se condamnait. Moi j'avais besoin de fuir, de courir, d'être seule, de me libérer dans des gestes et des mots de démence... Lui avait peur du silence. Nous eûmes un court entretien. Nous pataugions dans un marécage où ni l'un ni l'autre ne se retrouvait.

Je le maudissais.

Il a fini par s'endormir et je me suis levée pour prendre une douche.

Un jour, il faudra se décider et les surprendre tous. Te lever tôt, Madeleine, et marcher jusqu'à la plage, lâcher le pagne et te déchausser. Un jour, il faudra décider d'abandonner la rive. Qu'importe le cap, le ciel sera nu ! Nul besoin de boussole ou d'astrolabe pour cette traversée-là, tu sauras sur quelle étoile faire le point, à quel courant confier ton sort, les vents feront alliance et te porteront à la vie à la mort. Ne sens-tu pas passer déjà dans l'air le lourd parfum que l'alizé porte comme un message jusqu'à toi ?

Une autre terre existe, Madeleine.

En quittant l'*Olympic Palace*, je me suis rendue directement à la maison. Je voulais me consacrer à la traduction du discours du Chief Olayodé. Je désirais prendre de l'avance, pour pouvoir le peaufiner ensuite. D'expérience, je me méfie des premiers jets. Ma mère m'attendait. Elle venait, comme chaque mercredi, de fleurir la tombe de ma jumelle, Gampio, morte quand nous avions dix ans, d'une fièvre typhoïde à Mossaka.

Maman et moi avons papoté *en langue*, passant en revue les nouvelles du village, celles des riverains de sa rue, les prix du marché qui ne cessaient de monter tandis que l'État laissait faire...

– Quel État ? demandait-elle avec une grimace de dégoût.

Au passage, elle a émis quelques réflexions sur la politique. Selon elle, les Congolais étaient tous devenus fous. A l'époque des Blancs, soupirait-elle, en rêvant sur son passé... Et elle s'arrêtait au milieu de sa phrase, comme si elle abandonnait la partie.

– Fais ton travail, a-t-elle conclu avec cette intonation indescriptible de chez nous, qui constitue autant une expression de résignation qu'un conseil de sagesse.

J'étais obsédée par ma traduction et faisais un effort sur moi-même pour ne pas laisser parler mon impatience. Entendre la toux d'une vieille femme vaut mieux qu'habiter *incorfotable dans l'univers des conventions/des artifices de la vie sociale.*

une maison vide, dit la sagesse de la tribu. Moi, j'ai du mal à travailler en public, et si je m'étais enfermée dans ma chambre, c'eût été offenser ma mère. J'en étais réduite à m'installer dans la salle à manger, papiers et dictionnaires étalés sur la table. Travailler sous les yeux des fâcheux qui viennent papoter. N'est-ce pas ce que font les artisans, ou les femmes qui, quels que soient les visiteurs qui les honorent, sont tenues de préparer le repas pour les hommes ?

Des parents et des amis sont passés pour prendre des nouvelles. C'est maman qui les a accueillis, leur a servi à boire et tenu la conversation. Par intervalles, et à tour de rôle, ils coulaient un regard dans ma direction sans jamais tenter de me distraire. Il leur suffisait de me voir, d'être un moment avec moi puis s'en repartaient, l'un après l'autre, en me saluant respectueusement de loin, à la manière traditionnelle.

Quelquefois, me revenaient les commentaires des mauvaises langues. Les unes me croyaient frappée de malédiction, d'autres critiquaient mon comportement : il est dangereux qu'une épouse ne sache plus recevoir et sélectionne ses visiteurs. Quelle que soit la charge du travail que son foyer exige, elle doit, en l'absence de l'époux, savoir tenir compagnie à ceux qui ont la courtoisie de venir lui rendre visite. Du côté de ma belle-famille on faisait un lien entre mes attitudes de Blanche – au demeurant courantes chez ceux qui ont trop séjourné dans les écoles – et ma stérilité. « Quelque chose s'est déréglé dans le sang de la femme-là et tout lui remonte au cerveau !... » On conseillait à Anicet de se délivrer de moi avant qu'on ne fût contraint de m'enfermer.

Le soleil disparaissait quand maman voulut prendre congé. Je n'avais pas fini mon travail mais avais accompli le plus gros. A part deux expressions que je n'étais pas sûre de bien rendre en français et quelques mots que j'avais eu du mal à déchiffrer, le discours ne m'avait pas posé de difficulté majeure.

Avant de prendre congé, maman m'a entraînée vers la cuisine pour me faire humer le plat qu'elle m'avait mijoté. Elle voulait également récupérer une casserole et un panier dans lequel elle m'avait apporté des ananas quelques jours auparavant.

Maman a prétendu ne pas vouloir que je la raccompagne à Poto-Poto, comme j'en avais l'habitude.

– Laisse, ma fille. Laisse, je vais trouver un taxi, là *sur le goudron.*

Elle jouait son rôle avec tant de perfection que j'aurais pu me laisser convaincre. Mais je la connaissais trop pour savoir quelle blessure elle aurait ressentie de s'en retourner seule.

– Maman attends, ko. J'en ai pour une minute. Juste le temps de me changer.

Quand j'ai ouvert la porte coulissante du salon, Simba, qui somnolait sur la véranda, a aboyé, ce qui a fait tressaillir maman.

– Toi avec ton chien-là !...

Elle avait dit cela sur un ton de prophétesse de malheur.

– ...On dirait un lion. Tu sais que beaucoup de gens ont peur de te rendre visite à cause de cet animal.

Je m'en réjouissais et me promettais de ne rien changer. Sans ce gardien, j'aurais depuis longtemps renoncé à la peinture. Mais je me suis abstenue de toute remarque et j'ai éclaté de rire, histoire de prendre une contenance.

Repentante, la bête est venue se coller contre les jambes de ma mère.

– Aha, aha, je veux pas. Oho, mais regardez-moi le chien-là ! Madeleine, débarrasse-moi de cette saleté, ko.

Dégoûtée, maman s'est mise à s'épousseter là où Simba était venu se frotter.

Avant de monter dans la voiture, je lui ai glissé quelques billets dans la main. Elle les a froissés et les a fourrés dans le nœud d'un foulard dont elle se ceignait la taille.

110

J'ai laissé des instructions à Germaine et Blandine au cas où Anicet téléphonerait. Cela faisait presque une semaine qu'il ne m'avait pas appelée.

Dans le véhicule, ma mère m'a dit sa satisfaction pour la manière dont j'avais reçu les visiteurs.

– Ils viennent pour bavarder. Mais ils savent juger d'eux-mêmes si l'occasion s'y prête ou non. Ils savent quand prendre congé, il ne faut jamais ni fermer ta porte à un visiteur ni le jeter à la rue.

Elle me répéta une vieille recommandation : ne jamais se comporter comme les Blancs qui ne reçoivent pas leurs amis, même leurs parents, sans un rendez-vous formel.

Elle s'arrêta et prit un air amusé avant de reprendre :

– C'est comme ça que nous sommes, nous les Noirs, wo.

Nous avons fait un crochet dans le quartier de La-Plaine. Je lui ai acheté des biscottes, et du corned-beef, de *La vache qui rit*, du lait en poudre et des spirales antimoustiques. Malgré mes protestations, elle a fait mes louanges et répété que sans moi elle serait déjà soit morte, soit en train de mendier. Pour remercier Dieu, une fois par semaine, elle se levait encore plus tôt que d'habitude et marchait jusqu'à Sainte-Anne pour y brûler un cierge. Aujourd'hui, d'ici, je prends le risque de lui envoyer presque régulièrement des mandats sans adresse d'expéditeur...

Je me suis engagée dans la rue perpendiculaire au fleuve, celle où s'alignent une série de commerçants portugais et qui conduit au Monoprix, sur la droite, et chez Béhar, sur la gauche. Quand on marche à pied dans cette artère, des gamins, vendeurs à la tire, vous abordent en hindoubil, le lingala des quartiers chauds de Kinshasa pour vous proposer, à des prix imbattables, des colifichets et de la pacotille. Nous avons ensuite continué tout droit en traversant le passage à niveau, longé le stade Éboué, Sainte-Anne et ses jardins parsemés d'arbres du voyageur. J'ai hésité sur la direction à prendre au carrefour de l'Arrondissement trois et la voiture derrière moi s'est mise à klaxonner avec mauvaise humeur. C'était un chauffeur de taxi. En me doublant, il m'a lancé une injure qui s'est perdue dans l'air.

– Je te dis que les Congolais sont devenus fous, a marmonné ma mère en secouant la tête.

J'ai finalement continué tout droit par l'avenue de la Paix, que les Brazzavillois persistaient à nommer l'avenue de Paris. Il y règne chaque soir une ambiance de petite fête. Il suffit de traverser ce quartier, même sans descendre de voiture, pour que son atmosphère de Congo-sans-souci vous requinque. Un jour, à Cornell, dans une discussion avec des Noirs américains, j'ai dit que Poto-Poto était notre Harlem. C'était bien sûr une boutade mais pas seulement.

Nous avons aperçu sur le trottoir une cousine qui marchait en sens inverse du nôtre. Elle nous a fait un grand signe de la main, mais la circulation était si intense qu'il m'était impossible de m'arrêter. Maman m'a mise au courant des difficultés que rencontrait alors cette parente : son ménage battait de l'aile. Elle avait surpris son mari dans les bras d'une nièce qu'ils hébergeaient. D'ailleurs, maman devait se rendre, le dimanche suivant, au conseil de famille pour identifier l'origine de ce mauvais sort et rabibocher le couple. J'ai répliqué qu'il ne s'agissait pas d'une affaire de famille mais d'une question à régler entre mari et femme. Maman m'a foudroyée du regard et s'est lancée dans un long développement sur l'importance de la famille et du clan par rapport à l'individu. Je me suis encore hasardée à la contrer, ce que la tradition réprouve, mais j'avais les plus grandes difficultés à me faire comprendre, parce que, dans ma tête, je construisais tout mon raisonnement en français, tandis que, pour m'exprimer, j'utilisais un lingala pauvre et maladroit. Maman recourait, elle, à la langue de la tribu (que je comprenais mais ne savais parler), à son trésor de paraboles et de proverbes. « L'individu meurt, m'a-t-elle répété à plusieurs reprises, la famille continue. » C'est donc à elle de décider du sort de chacun de ses membres, car « si

colère intériorisée/ communication
impossible/ symbolique de l'écueil
linguistique.
SUR L'AUTRE RIVE

vous vous blessez le doigt, toute la main s'ensanglante ».
J'ai parlé de la femme dans le monde moderne, de la révolution, en truffant mon lingala de mots français. Elle a
haussé les épaules et a tourné la tête vers la fenêtre pour ne
plus me voir. Je bouillais de colère mais je devais conserver
mon calme parce que je conduisais et, surtout, parce que
c'était à ma mère que je m'adressais. Que valais-je sociale-
ment ? Je pouvais m'exprimer en français, en anglais, et
j'étais incapable d'élaborer ma pensée *en langue*. Je me suis
tue et nous avons ensuite changé de conversation.

A cause de la fraîcheur de la soirée de saison sèche, les
femmes s'étaient couvertes la tête d'un pagne à la manière
des personnages des Évangiles. Les hommes avaient passé
leur pull-over ou, pour les plus élégants, boutonné leur
veste, afin sans doute de se conférer plus de respectabilité.
Au croisement de la rue des Mbochis, le haut-parleur de
Chez Papa Clo projetait dans l'air des notes de musique
parasitées qui donnaient au quartier un air de fête foraine.

La conversation de tout à l'heure m'obsédait. Je me
disais que s'il m'arrivait un jour de me trouver dans la
situation de la cousine, je ne me soumettrais pas à la loi
coutumière et ne me présenterais devant aucun conseil de
famille. Alors, il faudrait disparaître, alors, il faudrait effacer ma trace pour la paix de la famille. Serais-je prête à
m'en aller sans me retourner ?

En abandonnant la chaussée pour le chemin de terre battue, il fallait ralentir pour ne pas abîmer les amortisseurs
dans les ornières qu'avaient creusées les derniers orages de
la saison des pluies. Dans une parcelle, un feu lançait en
l'air ses tentacules hystériques. C'était une année où la saison sèche était particulièrement froide. « Un jour, a dit ma
mère en regardant les flammes, on finira par déplorer un
incendie. » Elle a encore ajouté qu'à l'époque des Blancs,
nul ne se serait permis d'allumer ainsi un feu en pleine ville.
Je suis repassée à l'hôtel pour vérifier avec Chief Olayodé

113

les mots que j'avais du mal à déchiffrer. Il y avait du mouvement dans la cour de l'*Olympic Palace*. Des motards indiquaient qu'une personnalité venait d'arriver.

Chief Olayodé m'a fait attendre un bon moment, et je me
suis reprochée de n'avoir pas pris rendez-vous par téléphone. J'ai entre-temps rencontré Félicité qui descendait
des étages, souriante et le soleil dans les yeux. Nous nous
sommes assises un peu à l'écart de cette fièvre, ironisant sur
les grands airs que se donnaient les fonctionnaires chargés
de l'organisation de la rencontre. Nous avons échangé nos
impressions de travail sur les délégations dont nous avions
la garde et sur le programme du lendemain. Dès qu'elle
aperçut *mon* délégué, elle m'abandonna en me disant
qu'elle m'attendrait à l'entrée.

Chief Olayodé était escorté de son secrétaire, le gorille
antipathique, muni de son inséparable attaché-case. Il n'a
pas fait attention à mes premiers mots. Je l'ai vu suivre discrètement Félicité des yeux. Elle s'en allait lentement, d'une
démarche de mannequin, le pagne noué d'une manière dont
elle possédait le secret et qui soulignait la rondeur discrète
de ses hanches. C'était, de la ceinture aux pieds, un profil
d'amphore.

Malgré la fraîcheur de la soirée de saison sèche, le Nigérian était en tenue légère. Pantalon de toile kaki et chemise
en batik à broderies dorées. Nous nous sommes attablés sur
la véranda. En face de nous, la piscine déserte ressemblait à
une plaque de jade transparente. J'avais placé son manuscrit entre nous deux, et nos épaules se sont touchées. Chief
Olayodé a eu un rire bon enfant en découvrant les mots que
je n'arrivais pas à déchiffrer. Il réfléchissait en se tenant le
menton de la main et je voyais son bras poilu et musclé.
D'odeur discrète, son eau de toilette était de bon goût.
Après m'avoir aidée à déchiffrer des passages surchargés,
Chief Olayodé m'a dit de sa voix de basse, avec une intona-

114

tion bourrue, qu'il avait déjà procédé à des changements et m'a tendu des feuillets dactylographiés abondamment raturés.

– Tenez, c'est la nouvelle version. Mais elle ne m'engage pas non plus. Je me réserve la possibilité de tout changer à la dernière minute.

J'ai voulu faire une remarque mais ça ne sortait pas. J'ai craint de perdre mon prestige par un argument sans consistance.

– D'ailleurs, je ne sais pourquoi vous vous faites tant de soucis, votre anglais est parfait, vous n'aurez aucun mal à traduire mes improvisations.

Il avait dit cela sans un sourire, l'air sévère et intraitable.

Je me suis levée pour aller faire une photocopie au secrétariat de l'hôtel et lui laisser son exemplaire.

– Attendez.

Il a interrogé son gorille en yorouba qui a répondu par un mouvement de tête.

– Vous pouvez gardez ces feuilles. J'en possède un autre exemplaire.

Félicité habitait rue de Reims, dans un quartier résidentiel. Des cases coloniales, toutes construites sur le même modèle et protégées par des haies d'hibiscus. La plupart étaient habitées par des coopérants. On a l'impression, en passant dans cette zone, de revivre les années cinquante. Un Brazzaville désert et silencieux, l'ancien Congo des Blancs. La nuit, des chiens aboient sur les rares passants dont l'odeur les trouble : les boys et cuisiniers qui s'en retournent à Poto-Poto ou Bacongo. Je conduisais en me frayant un bief entre les nids-de-poule de la chaussée et les véhicules qui venaient en sens inverse, écoutant d'une oreille le bavardage de mon amie. Je suis injuste. Félicité possédait l'art de présenter la chronique de la société en l'agrémentant d'annotations, de traits d'humour et de jeux de mots que des chansonniers anonymes créaient contre les autorités nationales. Elle se déclarait ce soir-là satisfaite de sa journée et heureuse d'avoir été chargée de délégués sans histoire.

– En plus, hasardai-je en la guettant du coin de l'œil, le chef de la délégation est fort bel homme.

– Tu as vu ça ?

Elle a tapé dans ses mains, a ri en se pliant en deux, et nous avons plaisanté comme des collégiennes.

A proximité de chez elle, elle s'est soudain rembrunie. Elle a parlé de son boy avec des accents de maîtresse

116

femme, exigeante et à poigne. L'animal, soupirait-elle, ne s'était pas présenté à son travail la veille !... Elle a ajouté une remarque sur les nègres. Ce genre d'opinion toute faite qui confirmait ce que, selon mon père, les patrons blancs disaient de nous à l'époque de l'indigénat. Je l'ai pris pour une plaisanterie mais on y sentait une part de conviction.

Félicité n'avait pas l'intention de dîner ce soir-là. Un bon bain chaud, le lit et hop !

– Ma chère, je suis cassée et courbaturée comme si on m'avait battue à coups de barre de fer.

– C'est la station debout.

– Debout ?.

Elle a été prise d'un fou rire. Moi, je ne voyais nulle malice dans mon propos.

– Je ne suis pas une équilibriste, moi. Toujours couchée, dit-elle d'une bouche délicate, à la rigueur à genoux...

Et elle a ri encore en se mettant la main devant la bouche. Une voiture mal garée gênait l'entrée de la propriété.

– Regarde-moi ça, a-t-elle dit en esquissant une grimace et en tendant une main ouverte en direction du véhicule, les nègres !...

Dieu merci ! la taille de ma voiture, une Volkswagen coccinelle (nous disions la Véwé-tortue), était modeste, ce qui me permettait de me faufiler sans trop de difficultés. J'aime prouver mon habileté au volant. Félicité a insisté pour que je m'arrête, le temps de prendre un verre.

– Non, merci. D'ailleurs, tu as du monde.

– Ce n'est pas à moi qu'ils sont venus rendre visite. C'est à Côme.

Je voulais rentrer tôt pour terminer ma traduction et parce que j'attendais un appel d'Anicet.

J'ai encore résisté à son invitation en avançant un argument de femme sérieuse et rangée. J'étais sincère mais cela sonnait faux.

– Ah, toi aussi, viens seulement, ko.

117

La maison était entourée d'une véranda légèrement surélevée à laquelle on accédait par quelques marches. La salle de séjour était divisée en deux salons. Dans l'un d'entre eux, des gamins vautrés sur les fauteuils et couchés sur le tapis se gavaient de télévision. Au bruit de la voix de Félicité, ils se sont levés de mauvaise grâce pour embrasser leur mère, le regard et le geste lents, comme des zombis insaisissables.

– Allez, cessez de vous abrutir devant ce machin-là. Dites bonjour à tantine.

A la queue leu leu, l'un après l'autre, ils me tendaient la main ou m'embrassaient.

Félicité a demandé où était... (elle a mentionné un nom traditionnel que je n'ai pas retenu) et a disparu dans un couloir.

La télévision zaïroise retransmettait un programme en couleurs dont la tête d'affiche était le fameux Mangobo.

Dans l'autre salon, en kikamba, le mari de Félicité et deux inconnus traitaient avec passion d'une affaire. Ils répondirent à peine à notre bonsoir.

Dans la critique des mœurs que Mangobo faisait de la société de l'autre rive, nous reconnaissions aussi la description de la nôtre mais nous faisions semblant de ne pas comprendre.

Félicité est revenue avec une enfant dans les bras. Une jeune fille pauvrement vêtue la suivait, avec des pas d'équilibriste, en apportant bière et verres sur un plateau d'émail. La fille de Félicité me dévisageait avec curiosité. Je me suis penchée vers elle et j'ai commencé un numéro de séduction.

– Dis bonjour à tantine, a répété sa mère qui suivait notre manège.

La petite a baissé la tête et l'a enfouie entre les seins de Félicité. Elle portait un nom qui, chez les Bakambas, indique une valeur morale, mais j'ai beau rechercher, je n'arrive pas à m'en souvenir.

– Tu ne veux pas venir avec moi ?

J'ai tendu mes bras à l'enfant qui s'est de nouveau blottie contre Félicité.

– Excuse-moi, ma sœur, je n'ai trouvé que de la Primus dans le frigidaire.

– C'est ma bière préférée.

– Quand je ne suis pas là, ils vident le frigidaire et personne ne s'inquiète de renouveler la boisson.

> *Mobutu buma,*
> *Yéyé yéhé !*

La première phrase de la chanson était un cri de rassemblement qui ensuite était recouvert par les instruments d'un orchestre au rythme cadencé. L'écran de la télévision offrit un ciel parsemé de nuages légers qui filaient, poussés par un vent rapide. Dans le coin droit de l'appareil apparut en médaillon un visage lunetteux, coiffé d'une toque en peau de léopard. Le « Père fondateur » descendait en diagonale des cieux avant de remplir l'écran, tandis que sa voix prononçait un mot d'ordre, extrait d'un meeting en lingala. Le tam-tam ponctua la fin de la citation et la carte du pays s'afficha au centre de l'écran. Félicité me regarda, nous en rîmes, secouâmes la tête et frappâmes dans nos mains en poussant un soupir affligé.

L'enfant a fini par se rapprocher silencieusement de moi et je l'ai prise sur mes genoux.

Les hommes qui, à l'autre extrémité du salon, discutaient à voix basse avec le mari de Félicité se sont levés juste au moment où je me décidais à partir. Ils parlaient avec animation et donnaient l'impression de prêter un serment. L'un d'entre eux a fait une remontrance à l'autre qui a baissé la voix en regardant de notre côté. Je ne comprenais rien à ce qu'ils disaient car ils s'exprimaient tous en kikamba.

Je ne sais par quel biais nous sommes arrivés à débattre

Amour du pays vs désir d'évasion

de la condition de la femme. Ce fut vraisemblablement moi qui mis le sujet sur le tapis car l'histoire de la cousine et la conversation qui s'était ensuivie avec ma mère me poursuivaient. Félicité m'a fait pouffer plusieurs fois, notamment quand elle a soutenu être en faveur de la polygamie, pourvu, précisait-elle, que les femmes bénéficiassent, en contrepartie, du droit à la polyandrie. A son avis, notre société (hommes et femmes confondus) n'était pas prête à reconnaître nos droits. D'ailleurs, la coutume s'y opposait. A titre d'illustration, elle cita un proverbe de sa tribu que j'ignorais : « Si tu voyages sur le fleuve ensemble avec ta femme et ta sœur, et que ta pirogue se renverse, sauve d'abord ta sœur. »

– En fait, soutenait-elle, les conditions pour l'amour dans le mariage n'existent pas dans notre société.

– N'existent plus. Dans la société traditionnelle, avant la colonisation, ...

– Tu parles, me coupa-t-elle, je ne crois pas à l'âge d'or d'avant les Blancs.

Pas question non plus, pour elle, d'accorder une once de crédit aux slogans maladroits des femmes du parti en faveur de l'égalité des sexes.

– Ce qu'il faut, c'est compenser le poids du clan sur les couples, par le jeu. C'est en jouant à cache-cache qu'on rencontre l'amour. Je te le dis, ma sœur, l'amant de l'ombre a meilleur goût que celui de plein jour. Les plus grandes passions fondent au soleil quotidien.

Un peu plus tard, elle a ajouté que ceux qui ne savaient pas tricher dans notre société finiraient par s'asphyxier, par être victimes de dépression et mourir d'inanition. A moins de disparaître. Mais elle aimait trop le pays. Le Congo offrait encore beaucoup d'amants à dérober, elle disait à « emprunter », avant de renoncer à ce plaisir.

A la télévision, les informations s'étiraient sur un discours diluvien du « citoyen fondateur, guide suprême de la

Nation », et Félicité a changé de chaîne. Le programme en noir et blanc de Brazzaville a paru fade. Après avoir raccompagné ses compagnons jusqu'au portail de la propriété, le mari de Félicité est venu nous rejoindre. Je me suis levée et nous avons eu une dispute chaleureuse, riche en reparties joyeuses, à la congolaise. Durant tout le dialogue, l'époux conserva ma main dans la sienne et la pressa à plusieurs reprises. Il m'a finalement obligée à me rasseoir. Il a montré la bouteille de Primus et a émis un commentaire sur les dangers de la bière. Pendant qu'il allait chercher son verre dans le coin où il l'avait laissé, Félicité a lancé quelques sarcasmes sur les mâles. Il n'a pas relevé et s'est contenté de sourire avec indulgence. A son retour, il a éteint la télévision en déclarant que nos programmes c'était de la merde et que les choses allaient de mal en pis, puis s'est brusquement tu, donnant même l'impression qu'il aurait voulu ravaler ses propos.

Enfouie au fond du lit, j'avais du mal, les matins de saison sèche, à sortir la tête hors de mes couvertures. J'y avais chaud, j'y étais bien. Là-bas, en cette période de l'année, au-dehors, tout prend la couleur de la cendre. Le ciel, les pierres, les arbres, même les matitis. Durant presque six mois, c'est comme si la nature inaugurait une ère où la terre se refroidissait et s'engourdissait.

La veille, j'avais travaillé tard sur le discours de Chief Olayodé, puis paressé dans le salon, subjuguée par une émission de la télé zaïroise, techniquement médiocre mais riche d'une douce nostalgie. Une rétrospective sur la musique des années quarante, avec ces rumbas que nos parents dansèrent avant notre naissance et que Gampio, ma sœur jumelle, et moi avions écoutées sur le vieux phono de famille. En cachette, nous en remontions la manivelle avec précaution.

Je m'étais couchée bien après minuit. A trois heures, le téléphone a interrompu mon sommeil. C'était Anicet. Il ne m'avait pas appelée depuis plus d'une semaine en raison, expliquait-il, de leur emploi du temps. Il n'était libre qu'après sept heures du soir ce qui, avec le décalage, correspondait à des heures inconvenantes. Lui a utilisé le mot *uncivilized,* sans doute pour me montrer ses progrès en anglais. Il l'avait prononcé à la française. La qualité de la communication était mauvaise. Le vent apportait des paquets de mots

122

dont certains se perdaient quelque part dans l'atmosphère au-dessus de l'Atlantique, ce qui m'obligeait à lui faire répéter plusieurs fois les mêmes phrases. Je l'entendais alors crier à la manière des gens qui s'adressent à une sourde. Une fois, il a perdu patience mais il s'est aussitôt ressaisi et a finalement écourté la conversation parce que, disait-il, cela allait lui revenir cher.

J'ai eu du mal à me rendormir. J'ai tenté de lire mais ne réussissais pas à entrer dans le récit. J'ai pensé aux États-Unis et à tout ce que je devais à Cornell. Moins à l'université qu'à la découverte d'une manière de vivre. Une autre manière d'être et de s'organiser. Il est de bon ton de décrire les souffrances de l'Africain, isolé et victime de l'individualisme des sociétés judéo-chrétiennes. Tel ne fut pas mon lot. J'y ai appris le monde comme jamais et nulle part auparavant. Je m'y suis enrichie, j'ai regardé au fond de moi et j'ai mieux saisi mon pays. C'est là-bas que j'ai compris la fécondité de la solitude. Pour apprendre, réfléchir ou créer. Peut-être aurais-je dû accompagner Anicet là-bas ?

Le chien a aboyé plusieurs fois et j'ai tendu l'oreille. Nous nous méfions car, l'année précédente, des voleurs avaient réussi à s'introduire dans une maison du voisinage et avaient failli assassiner les occupants.

Des rêves peuplés de gnomes ont agité le reste de ma nuit. Tous entrecoupés, hachés, dans un télescopage épuisant du temps. J'étais livrée à un monde où des aliénés avaient pris le pouvoir et dirigeaient la société, me pressant de questions et me demandant des comptes d'une voix calme. Mais leurs regards étaient bizarres, inquiétants, comme s'ils savouraient mon avancée vers le piège qu'ils m'avaient tendu. Nous étions dans la salle d'un collège de Brazzaville, peut-être Mafoua-Virgile ou Nganga-Edouard, bizarrement creusée dans une grotte semblable à celle que nous avions visitée avec Anicet du côté de Montpellier, au cours de notre voyage en France. Les épreuves du brevet avaient déjà débuté et je ne retrouvais plus ma traduction sur moi. Pourtant, je me souvenais bien de l'avoir emportée en sortant de la maison... Une voix excitée a crié que Coleridge n'apprécierait pas. Spencer et Shakespeare non plus, a ajouté une autre, plus grave. Je ne sais trop quel itinéraire me conduisit en un lieu où la façade ressemblait à celle d'un campus d'université américaine. Un motard casqué montait la garde. Je demandai l'autorisation de pénétrer. Il ne m'écoutait pas et jouait avec deux dobermans. Les chiens couraient après une balle qu'il lançait et qui rebondissait mollement sur la pelouse. Quelqu'un a voulu franchir la chaîne qui marquait la limite du campus. Les deux dobermans abandonnèrent leur jeu pour se précipiter sur lui. Je me suis réveillée pour l'épargner.

Dehors, Simba aboyait et j'ai entendu grincer le portail d'entrée. Il fallait me lever pour ouvrir la porte au cuisinier.

J'ai dû, ce matin-là, faire ma toilette et m'habiller précipitamment, moi qui aime tant traîner dans la salle de bains.

Une atmosphère fébrile régnait à l'*Olympic Palace*. Les collègues du protocole nous rappelèrent le programme et le rôle que nous devions jouer.

Le secrétaire de Chief Olayodé a tenu à monter à l'avant du véhicule, à côté du chauffeur, insistant pour que je m'asseye, contrairement aux instructions que nous avions reçues, à côté du chef de la délégation. Chief Olayodé était vêtu d'un costume bleu nuit, de coupe croisée et soigneusement repassé. Sa chemise de voile blanc paraissait neuve. Il devait aussi étrenner sa cravate de soie à pois et la pochette assortie qui dépassait de sa poche comme une large langue. Le visage rasé de frais, il sentait cette eau de toilette que j'avais respirée la veille sur son bras, lorsque j'étais venu lui demander des éclaircissements sur son texte.

Nous avons démarré en cortège, conduit à un train d'enfer par deux motards surexcités. Ils ont failli emboutir un chauffeur indiscipliné à hauteur du rond-point de la poudrière. Les badauds se tordaient le cou pour essayer de reconnaître les personnalités dans les Peugeot noires. Malgré la vitesse, je notais certains sourires goguenards et j'imaginais les sarcasmes dans la foule des curieux.

Nous devions descendre à l'entrée du terre-plein de l'hôtel de ville et traverser la zone des parterres, là où se dressent plusieurs arbres du voyageur. Des groupes folkloriques secouaient les reins au rythme des tam-tams. Babembés sautillants et pressés qui se mouvaient d'un point à un autre, comme s'ils pratiquaient un jeu où le perdant aurait un gage, Mbochis aux chants à deux temps, passant lentement d'une voix de poitrine à une voix de nez, et ondulant des épaules et des hanches à la manière de boas paresseux, Balaris soutenus par les trilles d'un sifflet, gigotant des fesses et agitant les mains comme s'ils secouaient des tamis, tout un peuple en kermesse était venu célébrer les étrangers. Les Nigérians se sont arrêtés un moment devant l'association du Pool. Le groupe effectuait des pas empruntés, en partie, au folklore traditionnel et, en partie, au « boucher », la danse à la mode quelques années auparavant. Un couple de gens ridés se produisait au milieu du cercle. Ils mimaient, comme toujours, une histoire de séduction. L'homme, levant brusquement une jambe, simule la pénétration. Docile, la femme avance, lui présente son bassin. Brève copulation, suivie d'un retrait brusque. L'un et l'autre ont le visage aussi figé que des masques. Fier de lui, l'homme salue en portant la main à la tempe de manière grotesque et le couple, en des pas courts qui secouent leurs corps, rentre dans les rangs, tandis qu'un autre avance vers le centre au rythme des enfants mimant un train en marche. L'homme et la femme jouent, dans leur style, la même scène que le couple précédent avec des gestes stéréotypés. Des jeunes gens éclataient de rire en se courbant en deux et en se tapant dans la main. Chief Olayodé a dit quelque chose en yorouba et l'un de ses compatriotes a répondu en arborant un visage qui indiquait la désapprobation.

J'ai expliqué à Chief que nous nous trouvions sur le lieu où Malraux avait, quelques années auparavant, proclamé notre indépendance mais le nom de l'écrivain lui était inconnu.

Juste avant les marches, des femmes alignées sur plusieurs rangs, en pagnes aux motifs du parti et frappés du visage du chef de l'État, évoluaient en ballet, répétant inlassablement un refrain où chaque phrase se terminait par « *Congrès Oyé* ».

Nous avons gravi l'escalier abrupt qui mène à l'étage de la mairie entre deux rangées de jeunes écoliers en uniforme et foulard rouge. A notre passage, ils exécutèrent le salut militaire. Chief Olayodé me dit quelque chose que je ne pouvais pas entendre à cause du tintamarre. Je l'ai fait répéter mais, malgré la puissance de sa voix, je n'ai rien compris. J'ai quand même acquiescé.

En haut, le chef des pionniers a fait saluer les enfants et m'a souri. Il avait été mon élève quelques années auparavant.

– Les honorables délégués des pays amis ! a hurlé un membre du protocole, lorsque nous avons pénétré dans la salle.

L'assistance s'est tue, s'est levée, nous a applaudis et, tandis que nous gagnions les chaises qui nous étaient indiquées, s'est rassise, et le brouhaha a repris. Les membres de la délégation semblaient déçus d'être perdus dans la salle, derrière les ambassadeurs. Le secrétaire de Chief Olayodé a voulu rester debout dans la rangée pour demeurer près de son patron mais les services de sécurité se sont montrés intraitables. Chief Olayodé lui a fait signe de ne pas insister. Résigné, l'homme est parti en boudant, de sa démarche de gorille. Dressant son cou, il a continué de regarder dans notre direction. J'étais au premier rang à côté de Chief Olayodé.

La rumeur des chants et des danses des groupes d'animation, sur la place, ressemblait à un charivari, et seuls nous parvenaient, dans la salle, les roulements des tam-tams.

– Combien avez-vous d'habitants ? m'a demandé Chief Olayodé.

J'ai légèrement forcé la réalité.

– Et Léopoldville ?

– La ville ou le pays ?

– Le pays.

Le secrétaire général adjoint de l'OUA fut le premier à prendre la parole. Un cours d'économie parsemé de morceaux de bravoure politique que je ne pouvais pas traduire avec rigueur. Il parlait trop vite et certaines formules, propres au marché du bois, me déroutaient. Je sautais des phrases entières et quelquefois en inventais. Quand j'hésitais, Chief Olayodé fronçait les sourcils.

Dès que l'attention du public paraissait diminuer, une bande de militants, regroupés quelque part dans la salle, interrompait l'orateur et hurlait un dicton amusant, suivi d'un slogan du parti puis d'un autre à la gloire du Sauveur suprême. Nous aussi avions le nôtre.

A la première interruption, le secrétaire général parut un instant froissé, mais comprit vite qu'il s'agissait d'un hommage et, souriant, en profita pour avaler une gorgée d'eau.

Chaque fois que le mot « impérialisme » était prononcé, il déclenchait des salves. Les applaudissements étaient si prolongés qu'un non-initié ou un mauvais esprit aurait pu confondre ces manifestations avec un chahut.

A la fin du premier discours, une écolière est montée sur la tribune pour lire un poème de circonstance où elle clamait le bonheur de tous les enfants du Congo d'avoir un papa comme ce président-là. La petite avait une diction remarquable et, attendri, Chief Olayodé a applaudi avant même que je n'ai commencé ma traduction. Elle a offert au chef de l'État un bouquet de fleurs ficelé avec maladresse et lui a attaché un foulard rouge autour du cou. Le secrétaire général adjoint de l'OUA et chaque membre du Bureau politique ont eu droit au même traitement.

Un groupe vocal a relayé l'écolière et a interprété une chanson remplie d'humour et de rythme qui a électrisé la salle. J'ai failli oublier de faire mon travail. Je ne savais pas comment rendre la saveur et le piment des paroles, notamment les allusions au *Mamadou et Bineta* qui eurent raison de la tenue guindé qu'affectaient les ministres et les hauts fonctionnaires dans la salle. Ces messieurs s'esclaffèrent et se mirent à rire à ventre déboutonné, caquetant comme des potaches, s'administrant sans retenue les uns les autres de grosses tapes sur le dos et les cuisses. A plusieurs reprises, j'ai surpris Chief Olayodé en train de battre discrètement la mesure de la tête et du cou. On ne résiste pas au rythme bantou.

Le discours du président était trop long. Trébuchant sur certains mots et se reprenant souvent, il lisait, sous son propre portrait, un texte insipide, rempli de clichés et de formules toutes faites, où il rendait gloire, dans un lyrisme biblique, à de petits succès de son équipe. Je n'en traduisis que des bribes. Chaque fois, Chief Olayodé secouait la tête, non pour approuver, mais surtout pour indiquer qu'il avait compris ce que je lui chuchotais à l'oreille. Dès que la salle pouffait de rire ou battait des mains, il se penchait vers moi, approchant son oreille de ma bouche, pour que je le fisse participer à l'ambiance.

A chaque ovation, Chief Olayodé applaudissait mais je le soupçonnais de le faire par politesse, ou par malice. Dans la voiture, sur le chemin du retour, il m'a confié ne pas avoir compris si les clameurs du public exprimaient une manifestation d'adhésion ou un chahut déguisé. J'ai répondu par un bref sourire.

En vérité, par lâcheté, j'avais moi aussi applaudi. C'est aujourd'hui, avec le recul, que j'ose me condamner. A l'époque, les choses ne m'apparaissaient pas avec tant de clarté. Elles n'étaient pas si simples. C'était mon pays. Un pays de quelques années seulement, et encore fragile.

Dans ma réponse, j'ai échafaudé une explication où j'opposais le flegme qu'ils avaient hérité des Anglais à notre spontanéité bantoue. Chief Olayodé m'a considérée avec hauteur et a ricané avant de déclarer l'index en l'air :

– Vous savez, nous sommes, nous Nigérians, des gens très conscients de notre personnalité. Dans nos attitudes, il n'y a rien de britannique. Nous mangeons, nous nous habillons yorouba.

Il m'avait mal comprise. J'ai bredouillé quelques mots maladroits et il a repris la parole. Une véritable leçon. Rien de brutal, rien de blessant, mais tout était à lire entre les mots. J'ai ressenti une bouffée de chaleur inexplicable. C'est l'arrivée à l'*Olympic Palace* qui m'a délivrée. Nous y avons récapitulé l'emploi du temps de l'après-midi et nous nous sommes accordé une quinzaine de minutes de battement avant de nous retrouver au restaurant.

Je me souviens de la réception au palais du Peuple. Les invités se dirigeaient lentement, en groupes, vers les grilles de sortie. Aujourd'hui, certaines scènes ont tendance à se confondre dans ma mémoire avec celles de la sortie du palais de Libreville. Des gardes renfrognés observaient d'un regard d'acier cette atmosphère bon enfant où les plaisanteries fusaient et ricochaient d'une délégation à l'autre. Les plus réservés devenaient soudain volubiles et les anglophones prenaient plaisir à répéter, avec un accent amusant, les slogans dont ils avaient été gavés dans la journée ainsi que des mots français auxquels ils trouvaient des sonorités cocasses. Drapés dans de légères capes de soie damassée, à broderies ajourées, mes hommes avançaient avec l'allure des personnages de l'époque de Jésus-Christ. Ils conversaient avec les Ghanéens enveloppés dans ces toges ashanties qui laissent l'épaule nue. Les Congolais considéraient avec un sourire leur chevelure séparée en deux par un sillon typique qui rappelait Lumumba, tel que les photos nous ont appris à le voir.

Plus que les alcools bruns, ou dorés et pétillants, c'était l'orchestre des Bantous, convié pour rehausser la soirée, qui avait réussi, avec deux ou trois mélodies de leur répertoire, syncopées avec magie, à faire tourner les têtes et à griser les esprits.

A l'extérieur du palais, devant les grilles, nous avons

130

attendu les voitures enlisées dans un embouteillage. Félicité s'est trouvée un instant à côté de moi. Elle m'a demandé, en mounoukoutouba, si je sortais « les miens » cette nuit.

Je souhaitais les déposer à l'hôtel et me retrouver enfin avec moi-même. Des détails relevés dans la journée me hantaient déjà. Je ne pourrais me sentir en paix qu'une fois seule devant mon chevalet, dans ma cachette.

– Ils veulent, dit-elle en désignant les Camerounais d'un mouvement du menton et de la lèvre, ils veulent connaître Brazzaville « baille naït ». Je les emmène en boîte.

A part l'artère qui longe le palais, entre l'ancien Institut Pasteur et la cité administrative, le quartier du Plateau était plongé dans le noir. Cela n'a pas dû changer. A l'écart des rues, derrière des haies d'hibiscus, émergent des villas désuètes. Elles demeurent éclairées jusqu'au matin parce que leurs propriétaires s'imaginent décourager ainsi les voleurs. Chief Olayodé a fait une remarque sur ce monde de silence et de ténèbres qu'il a opposé à la vie chaude et trépidante de Lagos où, en permanence, s'activent des foules en éveil. Piquée au vif, j'ai expliqué que nous roulions alors dans la ville coloniale et j'ai failli lui proposer de faire un tour à Poto-Poto, mais je me suis retenue. Semblable invite pouvait être mal interprétée. Je me suis lancée dans une explication technique, d'autant plus confuse que le vocabulaire approprié me faisait défaut en anglais. Le chauffeur roulait trop vite. Après le carrefour du centre culturel français, je n'ai pas pu me retenir et l'ai rappelé à l'ordre en lingala. Nous avions la responsabilité d'une personnalité étrangère ! Contrarié, il a ralenti un moment puis, comme poussé par un démon irrésistible, a repris de la vitesse après le croisement de la maternité Blanche-Gomez.

Arrivés à l'hôtel, debout, nous avons fait rapidement le point avec toute la délégation et avons reprécisé le programme du lendemain.

Félicité m'a rattrapée sur la terrasse d'entrée au moment où je me dirigeais vers le parking.

– Alors ?

Elle m'a relancée pour une sortie « en boîte ».

– Ils préfèrent, ai-je inventé, aller se coucher.

Dans la voiture, je m'étais bien gardée d'aborder le sujet avec Chief Olayodé. Ce n'était pas son genre.

– Eh ! mais ce sont des papas pot-au-feu qu'on t'a envoyés, dis donc. Ah, les anglophones-là ! Zont perdu leur négritude.

Elle a fait un sourire et un bruit de bouche méprisant avant de poursuivre.

– Mais toi, tu viens avec nous au moins.

J'ai prétexté de la fatigue.

– En tout cas...

Elle prononçait « à tout cas ».

– En tout cas, tu peux dire ce que tu veux, je ne te laisse pas aller t'enfermer. Non, non, non. Qu'est-ce que tu vas faire chez toi toute seule ? Ton mari n'est même pas là. Allez, viens, ko.

Et passant son bras sous le mien, elle tentait de me faire rebrousser chemin.

– Seule dans ton lit par ce froid ? Ce n'est pas le moment d'attraper une bronchite !

– Pardon, Félicité, pardon ! Excuse-moi, j'ai la traduction de mon délégué à terminer. Il intervient demain.

Félicité possédait une foule d'arguments et un don de persuasion que j'enviais. A la voir agir et plier la vie à sa volonté, selon ses désirs, j'en venais à douter que ce fût dans les livres et dans la solitude qu'on se préparât le mieux à la vie. Socrate lisait-il ? Des générations de professeurs ont dû tisser à ce sujet des mythes tous éloignés de la réalité. Plus j'y réfléchis aujourd'hui, plus j'en viens à me demander si sa maïeutique n'était pas la forme méditerranéenne de notre palabre. La danse, argumenta Félicité, était un exercice d'hygiène qui prévenait des rides et conservait l'harmonie des formes du corps. En fait, ce soir-là, elle voulait surtout que je la tire du mauvais pas dans lequel elle se trouvait.

– Cinq bonshommes à m'occuper ! Tu te rends compte ? On entendait « tu te ran'conte ».

– ...Cinq Bantous aux reins en feu. Et je n'ai pu dénicher qu'une cousine et son amie pour nous accompagner... Au moins si tu venais... Cela réduirait mon déficit...

Elle-même rit de la formule de comptabilité.

Malgré la fièvre de la journée, j'éprouvais une sensation de manque. J'aurais voulu m'accorder quelques heures dans ma cachette avant de me coucher. Mais comment faire comprendre ce besoin ? J'ai pris la main de Félicité dans la mienne, elle l'a serrée et j'ai baissé la voix.

– J'attends un appel d'Anicet.

– Encore ? Mais c'est tous les soirs alors ! Ahah, laisse seulement, ma sœur ! Tant pis pour lui. Est-ce qu'on abandonne une jeune femme seule aussi longtemps ? Gare au singe qui délaisse son arbre pour vadrouiller ! Est-ce que tu sais pour toi, ce qu'il fait là-bas, ton Anicet-là ? Tant pis pour lui, ma chère. S'il te rate, tu diras qu'il y avait séance de nuit, ou n'importe quoi... Un *matanga*, par exemple. Oui, c'est ça, parfait, un matanga. Ça passe mieux. Il n'y a pas, à Brazzaville, de nuit sans veillée mortuaire. Un individu normal passe au moins la moitié de la semaine dans les matangas. Tu ris ?

Quelqu'un a dit à Félicité qu'elle exagérait d'utiliser la tristesse des autres pour « arranger la vérité ». Mais elle a persisté.

– Je blague pas. Faut pas se laisser avoir dans la vie. Regarde mes délégués-là. Tous mariés, pourtant. Or, s'ils dorment seuls dans leurs draps cette nuit, ce sera grave. (Elle traîna sur le *a* en ouvrant de gros yeux.) Leur conférence en sera gâchée. (Elle accentua fortement le *a* pour mieux me faire sentir l'ampleur du désastre.) D'ailleurs, tu crois que leurs femmes, là-bas à Yaoundé, attendent un coup de téléphone ce soir ? (Elle ricana.) Tu ne connais pas les Camerounaises, toi.

Un collègue du protocole est venu nous interrompre et a plaisanté un moment avec nous avant de nous proposer de nous raccompagner. En s'éloignant, il a fait une citation en lingala tirée d'un vers d'une chanson sur les femmes modernes.

— Quand nos maris sont en mission, a repris Félicité, crois-moi, ils retrouvent leurs élans de célibataires. Seulement, les hommes sont comme les serpents d'eau. Pour les prendre en défaut...

⊗ J'enviai le lingala de Félicité, ses images si difficiles à rendre en français, sa connaissance des proverbes.

— Et l'homme-là a le front de t'appeler la nuit ? Grossier personnage ! Ma fille, tu as épousé un sauvage, oui.

— C'est à cause du décalage horaire.

— Le décalage l'arrange, oui. Il crève de jalousie. Un groto, ce monsieur !

— Un quoi ?

Elle m'a expliqué que c'était un mot récemment mis à la mode par les Ivoiriennes de Cocody. Il y avait deux catégories d'amants : d'un côté les *génitos*, étalons robustes à hautes performances, véritables magiciens, généralement sans le sou ; de l'autre, les *grotos*, affectueux et généreux, bedonnants et respectables, qui possédaient, eux, des comptes en banque bien garnis, en Afrique, en France ou, bien sûr, en Suisse.

— Qu'il téléphone, ko ! Où est le problème ?

Elle promettait de me dresser une liste d'alibis à invoquer au cas où il prendrait envie à Anicet d'adopter des attitudes trop « réactionnaires ».

— Une liste, tu verras... T'auras l'embarras du choix.

Sur le chemin du retour, je me suis heurtée à plusieurs

barrages de miliciens. Deux fois. D'abord au carrefour de chez Mamati, ensuite à l'entrée du Plateau-des-quinze-ans.

Dès que je suis rentrée, Simba a jappé et s'est mis à sauter autour de la voiture. Il m'a suivie en couinant jusqu'à la porte comme s'il me reprochait de l'avoir abandonné. Dans le salon, Germaine et Blandine suivaient un feuilleton à la télévision.

– Tonton Anicet n'a pas appelé ?

– Non, tantine.

– Vous avez dîné ?

– Oui, tantine.

– Et Simba ?

Elles n'étaient pas sûres mais croyaient que le boy...

J'ai dû leur répéter mes instructions et leur expliquer la nécessité de prendre soin d'un chien si l'on ne voulait pas être cambriolé. Même si elles n'osaient pas rétorquer, je savais que mes remontrances déplaisaient à ces demoiselles. Elles avaient peur de perdre le fil de l'intrigue du feuilleton qui passait à la télé. Une histoire qui se déroulait aux États-Unis et dont j'avais dû voir un épisode un soir par désœuvrement et curiosité.

C'est au moment où je faisais l'inventaire du frigidaire que le téléphone a sonné. Un accent congolais m'a prié de ne pas quitter. Sûrement l'international, qui allait me passer Anicet.

– Allô ? Allô, Madeleine ?

C'était une voix de femme.

– Allô ? Ici Féli.

Félicité a d'abord ri, comme si elle venait de me faire une farce puis s'est mise à parler sur un ton de confidence.

– Si demain, par hasard, Côme te demandait, ... eh bien, tu diras que nous avons été ensemble jusqu'à trois heures du matin... Séance de travail avec le protocole... Tu comprends ?

– Pourquoi pas à un matanga, plutôt ?

Elle comprit évidemment l'allusion et se tordit de rire à l'autre bout du fil avant d'expliquer que Côme n'était pas en Amérique, lui.

Nous avons encore bavardé. Félicité m'a demandé si Anicet avait finalement appelé et n'a fait aucun commentaire. Je suis revenue sur son alibi et lui ai demandé si elle ne craignait pas que, par inadvertance, le chef de l'équipe du protocole ne vendît la mèche.

— Antoine ? Jahamais ! C'est un frère, un vrai frère.

Lui aussi était un ancien condisciple avec lequel elle avait dû flirter bien des années auparavant.

Il n'était pas bien tard. Hormis des brassées de musique qui arrivaient avec la brise du bar *Santé-Tout-Brazza*, le quartier était, la nuit, aussi calme qu'un village de brousse. J'ai pris *Les Mots anglais* et appris par cœur le vocabulaire et des expressions relatifs à la forêt. Le manuel ne fournissait malheureusement aucune information sur les bois tropicaux.

Vautrées chacune dans un fauteuil, captées par la télévision, Germaine et Blandine avaient éteint les lumières du salon, le transformant en salle de cinéma. Le feuilleton venait de se terminer et l'on rediffusait dans son intégralité le discours que le président nous avait infligé le matin. Elles sont passées sur Léopoldville, aux programmes plus attrayants à cause de la couleur.

— Vous ne pouvez pas prendre un livre ?

— Mais on est en vacances, tantine.

Je leur ai fait un nouveau sermon sur la lecture. L'une baissait la tête, l'autre a souri comme si j'appartenais à une époque révolue.

Dans mon atelier, la toile que j'avais ébauchée était là, triste, abandonnée. Je lisais dans ce travail inachevé, sinon un reproche, du moins un énorme point d'interrogation, une invitation à choisir la vie que je voulais véritablement

136

tyrannie de l'art

vivre et à maintenir le cap. Qui veut bâtir sa case doit abandonner tous les autres travaux dit un proverbe de chez
nous.

critique

La toile s'intitulait *Le Fleuve*. Une occasion pour une
étude sur les eaux, leurs couleurs et leurs mouvements dans
la zone des Cataractes, mais aussi un prétexte pour exprimer quelque chose que j'étais seule à comprendre. N'est-ce
pas toujours ainsi ? Besoin de confier son secret pour le
faire partager ou se chanter sa propre chanson et, en même
temps, en contrepoint, les scrupules de la pudeur, la peur de
s'exhiber dans sa nudité. Et chaque fois, je finis par brouiller les pistes. Car, dans mes tableaux, chaque personnage,
chaque fleur, chaque arbre, c'est finalement moi. A bien
examiner le ciel, ou le regard de tel oiseau, on reconnaîtra le
temps qu'il fait dans mon cœur. Je me cache derrière les
travestis et les masques de mes personnages. En fait, même
pas, c'est bien plus compliqué encore.

Au premier plan, un homme et une femme sont attablés
l'un en face de l'autre. Ils ont usé tous les dialogues. Dans le
fond, sur la droite, une mère et son fils, mais de dos, la
main dans la main, regardent soit les flots violets qui jail-
lissent par-dessus les rochers et les arbres de l'île du Diable,
soit le lazaret en contrebas du mont Ngaliéma. Le tout
traité dans une dominante de couleurs vertes, rouges et
jaunes, très vives, comme l'étaient la plupart des tableaux
de ma première manière. J'aurais voulu oublier la conférence et rester là à poursuivre mon travail, abandonné juste
à l'instant où je venais de trouver le rythme de mon souffle.

Pendant deux heures, j'ai essayé de me replonger dans
l'atmosphère. En fait, je n'ai pas réussi à avancer. Je corri-
geais les maladresses des premiers coups de pinceau, repo-
lissais des lignes, rétablissais des équilibres. Je souffrais
d'être réduite à travailler par fragments. Si je m'étais écou-
tée, j'aurais passé la nuit à aller au bout de moi-même.

Quand je suis sortie de mon atelier – en fait une pièce

banale –, les filles regardaient *Bakolo Miziki* sur Léopold-ville.

J'ai repris *Les Mots anglais*.

Malgré la température, j'ai allumé le climatiseur pour couvrir les lambeaux de musique que les haut-parleurs de *Santé-Tout-Brazza* lançaient au vent dans le quartier.

La gamme des accents scandés du haut de la tribune était aussi variée qu'il existe de manières de ceindre le pagne ou de nouer le foulard entre Nouakchott et Lilongwe. Félicité en imitait plus d'un, avec le talent d'une professionnelle. Elle excellait notamment dans celui des Guinéens. Nous en étouffions de rire. Au registre de voix près, dont elle réussissait à s'approcher, on eût juré Sékou Touré lancé dans une harangue où il croquait et broyait « les forces du mal ».

Chaque délégation tenait à venir lire à la tribune des déclarations qui se ressemblaient toutes. L'exercice de traduction en devenait lassant. Malgré les apparences, je crois que Chief Olayodé suivait ce spectacle d'une oreille distraite. Déclamés sur des tons de colère et de prophéties, les discours rabâchaient invariablement la description d'une crise qui frappait toujours « de plein fouet », « le monde en général et l'Afrique en particulier ». Il n'y avait pas de situation économique, d'événement politique qui ne trouvât son origine dans la détérioration des termes de l'échange, le colonialisme et, pour quelques-uns, dans l'impérialisme. « Français en particulier » précisait notre délégation qui tenait à se singulariser avec quelques autres qui y ajoutaient des slogans ronflants et puérils. Chaque phrase que je traduisais rompait le silence dans la salle, et, régulièrement, quelqu'un dardait vers moi un regard sévère pour me demander de cesser ce qu'il prenait pour de la dissipation. Afin de ne pas gêner les voisins, je devais me rapprocher de Chief Olayodé et chuchoter le plus près possible de son oreille, comme si j'avais des secrets à lui confier.

A la fin de chaque séance, le président concluait en soulignant invariablement avec sérieux et onction le « niveau élevé du débat ».

A part le secrétaire à l'allure de chimpanzé, toute la délégation avait, le lendemain, pour honorer l'intervention de Chief, revêtu de somptueux boubous de cérémonie.

Lorsque finalement le président de séance lui a demandé de prendre la parole, Chief Olayodé s'est coiffé d'un bonnet légèrement incliné sur le front. Je devais l'accompagner à la tribune et cela m'a donné le trac. Le secrétaire, toujours son attaché-case à la main, est venu se poster derrière nous, fixant la salle avec un regard de surveillant général. Un serpent qui aurait cherché à hypnotiser sa proie. Après avoir lu un paragraphe protocolaire, que la salle a applaudi parce que les règles de la rhétorique était respectées, Chief Olayodé abandonna son texte et j'eus du mal à le suivre. Il annonça qu'il ne répéterait pas ce que les autres orateurs avaient déjà fort bien développé ; qu'on trouverait dans son intervention écrite, qu'il allait faire distribuer, tous les renseignements relatifs à la situation de la forêt et du commerce du bois au Nigeria. Il ne fit pas usage des mots techniques que je m'étais employée à apprendre ces derniers jours et j'en fus déroutée. A plusieurs reprises, j'ai failli bredouiller et, à voix basse, je lui ai demandé de ralentir son débit. Maître de lui, un brin séducteur, il a marqué une pause. Il me surveillait, du coin de l'œil, comme un maître qui suit une élève en train de réciter sa leçon. Les apartés avaient cessé dans la salle et toutes les délégations levaient le menton vers la tribune. Il employait des phrases simples qu'on ne trouve pas dans les discours, mais seulement dans la vie courante et les romans. Des mots de tous les jours qui paraissaient dépoussiérés. Le ton était assuré et ressemblait à celui de père quand, de son vivant, il nous inculquait des principes moraux et nous demandait avant tout d'être bons. Tandis que je traduisais, je sentais que le silence s'approfondissait dans la salle. Emporté par son inspiration, Chief Olayodé avait recours à des proverbes et des images au goût de kola tandis que son parler prenait le rythme de la palabre sous le mbongui. Heureusement que j'avais lu les romanciers nigérians, sinon je n'aurais pas su traduire certaines expressions qui appartiennent à l'anglais de Lagos. Les délégués et les journalistes avaient cessé de prendre des notes pour ne pas perdre le moindre souffle de la brise qui traversait la salle.

Pendant un moment, Chief Olayodé se laissa emporter par le rythme de son inspiration et je dus l'interrompre en lui saisissant le bras ou la main. La liberté de mon geste l'a amusé et j'ai lu des excuses dans ses yeux.

Il dit la forêt de jadis puis celle d'aujourd'hui. Il décrivit l'Europe, son opulence, puis à nouveau l'Afrique, les défis à affronter, son avenir dans une humanité en évolution. C'était comme d'un patriarche, calme et sûr de lui, qui soudain aurait invité à cesser la récréation et aurait parlé le langage de la maturité. Il a cité quelques chiffres qu'il a comparés à d'autres, dans des domaines insolites. Ce n'était pas à la lutte armée qu'il appelait, lui, mais à une compétition. La voix et la pensée de l'orateur rassuraient et invitaient à prendre appui sur lui. Et moi, de mon côté, je me mis à entrer en sympathie avec le rythme de la phrase anglaise. Je chaussais la pensée de l'orateur et ma voix gagna en assurance. J'eus l'impression de réveiller un tribun qui sommeillait en moi et dont je n'avais jamais soupçonné l'existence. Tandis que je me remémore tout cela aujourd'hui, j'aimerais pouvoir retrouver exactement certaines de ses réflexions. Des évidences auxquelles nous n'avions pas songé et qui déjà me paraissaient convaincantes.

Dans la salle de conférences, les débats étaient vains et oiseux. Il m'arrivait de ne pas me donner la peine de traduire et Chief ne réagissait pas. Je le voyais dessiner sur une feuille blanche. Toujours le même portrait. Un profil féminin qui tenait plus de l'Européenne que de la Noire. Il s'assoupit même un instant. Quand il reprit ses esprits, il bâilla, consulta sa montre, rangea ses papiers et, après avoir laissé des instructions au reste de la délégation, se leva. Il voulait visiter la ville.

La voiture n'était pas là.

J'ai proposé de marcher quelques dizaines de mètres vers le pont de la Mfoa, là où est plantée la borne commémorant le traité entre le Makoko et Savorgnan de Brazza. Une pierre minable, perdue dans les matitis. Il y avait en fait peu d'explications à donner et Chief Olayodé n'a pas posé de questions. J'ai craint de lui faire perdre son temps.

C'est alors que la voiture est arrivée.

Avant d'y monter, Chief Olayodé s'est tourné vers le fleuve. Sous la lumière anémiée de fin d'après-midi de saison sèche, la masse liquide et mystérieuse avait pris la couleur d'une vaste étendue de ciment sale et ondulée. Une légère brume voilait le paysage. La végétation de l'île Mbamou avait des touches irréelles. D'où nous étions, Léopoldville apparaissait comme une cité de gratte-ciel, de grues et de bateaux à roues abandonnés. Une nécropole géante dont les habitants auraient tous disparu. Chief Olayodé a pointé un doigt vers les jacinthes d'eau en faisant la grimace.

– Qu'est-ce que c'est ?

Je lui ai fourni une explication que j'avais entendue dans des conversations. Intéressé, il m'a posé des questions précises et trop techniques pour que je puisse lui répondre.

La voiture cahotait et le chauffeur roulait lentement dans les ornières de la venelle qui relie la mairie à la zone du garage Barnier. Une allée de manguiers où les arbres se rejoignent au sommet en une voûte verte et feuillue.

– C'est curieux ! a observé Chief Olayodé. Votre ville tourne le dos à l'eau.

J'ai eu honte de ne l'avoir pas remarqué auparavant.

– Quand on a la chance de posséder un aussi beau fleuve !... Combien de miles de large ?

Nous nous trouvions derrière la chambre de commerce. Deux piroguiers quittaient silencieusement la berge, pagayant à coups réguliers, indifférents au décor.

– A peine cinq kilomètres entre les rives à cet endroit. Mais en amont, le Stanley-Pool atteint quarante-cinq kilomètres.

– Ça fait combien de miles ?

Après un moment de réflexion, j'ai fait une conversion grossière en arrondissant au chiffre le plus fort. Il m'a regardée avec surprise.

– Si, si, tout à l'heure vous verrez.

Les deux piroguiers remontaient patiemment le courant. Dans un mouvement d'ensemble ils plantaient leurs pagaies dans le fleuve, balayaient de côté d'un geste preste, et se redressaient en cadence. Des pêcheurs en route vers l'île Mbamou ? Des trafiquants ou des passeurs clandestins entre les deux rives ?

Nous avons fait le tour de la ville, pénétrant dans l'intérieur de Poto-Poto, de Moungali, de Talangaï, de Bacongo, faisant des haltes, au village Yoro, à Sainte-Anne, au stade de la Révolution, au monument Savorgnan de Brazza et à la Case-de-Gaulle. J'ai oublié de l'emmener sur la colline de la Mission et, lorsque je m'en suis aperçue, pendant notre retour, il était trop tard. Au passage, peu avant le quartier de La-Météo, je lui ai indiqué l'ancien terrain d'aviation sans préciser que le général de Gaulle y avait serré la main de mon père au temps de la France libre. Je lui ai montré ce que certains appelaient le camp du Biafra et cet emprunt à l'histoire du Nigeria l'a amusé. Il s'est attardé sur les rives du Djoué. J'ai fait peu de commentaires et il n'a pas posé de question. Il est d'abord resté debout à contempler le bouillonnement de l'eau chocolat, son fracas contre le rocher et son rebondissement en jets pulvérisés qui montaient haut dans l'air. On eût dit qu'il dialoguait avec les forces de la nature ou qu'il se recueillait pour une prière païenne. Nous nous sommes assis sous une paillote des Cataractes pour nous désaltérer. Le serveur du bar n'avait pas grand-chose à offrir. On avait oublié de lui livrer la marchandise. Il ne lui restait qu'une bouteille de Primus et quelques boissons gazeuses. Sur la droite, côté soleil couchant, la sécheresse avait découvert des bancs de sable et des rochers qui donnaient à l'ensemble une allure de paysage lunaire.

La bière était tiède et j'ai dû m'excuser.

– Le frigidaire est en panne et l'État n'a plus l'argent pour réparer, a dit avec amabilité le gérant.

Chief a répondu que ce n'était pas grave et il a accompagné son propos d'un geste de la main. Sa voix de basse rassurait. Il continuait à regarder devant lui.

– On peut se rendre là-bas ?

Il me montrait l'île du Diable.

– Il paraît que personne n'y a jamais mis les pieds.

– Personne ?

Cela semblait l'amuser.

– C'est ce qu'on assure. En fait... aujourd'hui...

144

SUR L'AUTRE RIVE

Il a hoché la tête ne se départant pas d'un sourire mystérieux.

– Mais il vaut mieux faire comme si personne n'avait
réussi à s'introduire là-bas.

– Absolument.

Une voix doté de ce timbre qu'on ne trouve que chez les
Noirs, notamment chez les chanteurs de La Nouvelle-
Orléans.

Quand nous nous sommes levés pour rejoindre le véhicule, nous avons fait un détour en nous approchant des
bans de sable.

– Comment se fait-il que personne ne se baigne ? La saison ?

– C'est surtout dangereux.

– Là oui, mais pas par ici.

Sa voix faisait vraiment penser à celle de Louis Armstrong.

– Si, partout. Chaque année, des gens disparaissent.

– Crocodiles ?

– Non, les crocodiles se réfugient, je crois, dans les eaux
calmes. Mais les tourbillons...

J'ai dû faire une paraphrase et des gestes avec l'index car
je ne savais plus comment se dit tourbillon en anglais.
Tâtonnant ensemble dans le vocabulaire, nous avons fini
par nous comprendre. C'était stupide, je connaissais le mot
mais étais incapable de le retrouver sur-le-champ. Quand
finalement Yinka a compris ce que je voulais dire, j'ai sorti
mon carnet pour prendre note.

– ...des tourbillons invisibles qui font bouger les sables
dessous l'eau. Là où vous avez pied aujourd'hui, vous êtes
aspiré demain.

Il m'a paru incrédule. J'ai égrené la chronique des victimes du fleuve. Jamais le courant ne rendait ceux qu'ava-
laient les génies des eaux. Des interprétations fantastiques
hantaient les imaginations des familles mais je n'osais les

145

[annotation manuscrite: complicité avec le paysage v@ regard érudit (résurgence du regard touristique ou exotique)]

lui confier. Pensif, il secoua la tête comme s'il comprenait ce que j'exprimais à demi-mot.

Le soleil à l'horizon, derrière les nuages, dispensait chichement des taches jaunâtres et blêmes. Les fourous ont commencé à nous mordre et nous avons hâté le pas.

Nous aurions eu le temps de grimper jusqu'à la cité de l'OMS dont je voulais qu'il admirât le panorama mais il était trop tard.

Tout l'après-midi, Brazza avait somnolé sous la lumière pâle de saison sèche. La cité ressemblait à un gros village triste et endormi. J'ai soudain eu le sentiment que tous ceux qui m'étaient chers l'avaient quittée. J'avais sans doute eu tort de jouer les érudites tout au long de la visite. C'était ridicule. C'est avec son cœur et ses propres souvenirs qu'il faut expliquer Brazza. Car il n'y a finalement pas grand-chose à voir dans notre capitale, sauf pour ceux qui y ont vécu. Les traces de l'histoire y sont si rares et évoquent un passé si proche qu'il est ridicule d'en faire mention. Les vrais Brazzavillois savent qu'il faut contempler la ville comme un paysage de mer ou de montagne, la respirer, l'écouter surtout. Il n'est pas nécessaire de parler lingala ou kikongo pour entendre battre son cœur. Qui y parvient l'évoque ensuite avec un tremblement dans la voix.

Nous n'avions pas eu le temps de pousser jusqu'au village des vanniers ni de nous arrêter chez les peintres de Moungali. Dans cette visite, j'aurais été bien sûr le guide le plus qualifié. Je promis de conduire Chief Olayodé à l'école de Poto-Poto le lendemain. Il voulait ramener des pièces d'art congolaises. Ma réponse fut confuse. La plupart des sculpteurs n'offrent que des produits de mauvais goût pour touristes.

Quand nous rejoignîmes l'*Olympic Palace*, la nuit était tombée brusquement, sans transition, comme toujours là-bas. Quelques instants rousse, puis profondément noire, hostile, menaçante. La délégation nous attendait, se délas-

égoïsme de l'artiste.

sant en buvant sur la grande véranda à carreaux noirs et blancs dans l'arrière-cour de l'hôtel. En musique d'ambiance, on entendait l'ensemble haïtien Coupé-Cloué. Avant d'écouter le rapport des autres membres de la délégation, Chief Olayodé leur a dit qu'il se sentait mieux parce qu'il avait découvert la ville. Je m'apprêtais à prendre congé quand l'un des Nigérians me demanda de demeurer encore un instant. Il fallait clarifier le programme de la soirée et décider s'il fallait libérer les chauffeurs ou pas.

Je croisais les doigts pour que Chief Olayodé décidât de rester dans sa chambre. Aller se trémousser en public eût été au demeurant, pour un gentleman de son étoffe, faute de goût et manque de dignité. Mais c'était surtout à moi que je pensais. Cette promenade m'avait donné des idées de croquis et je voulais rejoindre ma cachette. Des notes, tristes comme des nuages isolés qu'un vent modéré pousse à se regrouper, modelaient le début d'un tableau que j'avais envie d'organiser sur la toile.

Contre toute attente, Chief décida de se rendre au bal prévu au programme.

Désemparée, je dus filer à la maison pour me rafraîchir, me changer et avertir les filles que je rentrerais tard cette nuit-là. Simba me fit la fête, remuant sa queue et frétillant du corps. Il se frotta d'abord contre une de mes jambes, se prit dans le bas de mon pagne et se dressa devant moi, faisant le beau, cherchant à appuyer ses deux pattes avant contre ma poitrine. Il faillit me renverser et je dus gronder pour le ramener au calme.

Quand Chief Olayodé m'aperçut une heure plus tard dans le hall de l'hôtel, vêtue de mon pagne aux motifs indigo, il m'honora en aparté de compliments gênants. C'était une tenue que je portais pour la deuxième fois. Je l'avais fait faire spécialement pour un mariage où nous étions témoins, et qui avait eu lieu quelques semaines avant le départ en stage d'Anicet.

A *La Flottille,* nous fûmes accueillis par le protocole. Il nous escorta à la table qui nous était réservée, tout au bord de la piste, en face de l'orchestre, et juste à côté de celle du ministre. Dès qu'il nous aperçut, celui-ci se déplaça pour féliciter une fois encore Chief de son intervention, la veille en plénière, et en profita pour l'informer que des instructions avaient été données au journal du parti pour la reproduire dans son intégralité. Respectueux, le Nigérian voulut se lever mais le ministre lui posa la main sur l'épaule et le maintint sur sa chaise. Après des formules protocolaires, le ministre se livra à des développements chaleureux et puérils émaillés de généreux « mon frère ». Je n'ai pas voulu traduire ce que disait le ministre tant ses propos étaient inconsistants. J'inventais autre chose. Chief Olayodé l'écoutait en regardant tour à tour le ministre puis l'interprète ; il esquissa un sourire sous l'effet des éloges puis durcit son visage pour demeurer maître de lui. La dernière phrase énoncée, il a secoué pensivement la tête et m'a demandé de traduire maintenant en français.

– C'étaient seulement des mots, commença-t-il modestement de sa voix de basse bien timbrée.

– Mais des mots choisis avec bonheur, répliqua aussitôt le ministre.

Cette interruption m'horripila. Je savais que Chief Olayodé n'avait pas terminé. Lui, calme et patient, a d'abord souri puis, haussant les sourcils, a répliqué.

Au début, Chief Olayodé observait la fête avec distance, sirotant sa boisson par petites doses, dans un maintien de seigneur. Le visage de marbre, il paraissait insensible au rythme trépidant et chaloupé qui allumait le feu dans les ventres et animait la cadence des hanches, la cadence des pieds, le tremblement enfiévré des danseurs sur la piste. Moi, je savais qu'il ne perdait pas une seule note de la musique. Le visage concentré, il suivait l'orchestre comme un fidèle les gestes du prêtre sur l'autel. Des hôtesses de la conférence avaient traversé la piste pour inviter les délégués à notre table. Seul le secrétaire au corps de chimpanzé avait refusé, sans ouvrir la bouche, sans sourire, en secouant seulement la tête. Un vrai sauvage mal dégrossi ! La fille s'en était retournée, le nez bas. Je me suis levée pour la rejoindre et la réconforter d'une plaisanterie.

De temps à autre, un souffle de vent frais déplaçait en passant les branches des palmiers. Au loin, sur l'autre rive, les lumières des gratte-ciel de Léopoldville scintillaient comme des étoiles rapprochées. Y avait-il plus de bonheur là-bas, une fois le fleuve franchi ?

Avec sa voix de basse, Chief Olayodé me demanda de lui traduire le lingala du chanteur. Pour me parler, il avait posé sa main sur mon bras.

— Vous avez froid ? s'inquiéta-t-il.

Il avait dû me sentir frissonner.

— Non, non. Je me sens bien.

Par inadvertance, j'ai touché sa main rapidement et j'ai aussitôt regretté cette audace, même si mon geste avait été involontaire.

— Pourriez-vous me traduire les paroles de cette chanson ?

Le timbre de sa voix m'a rassurée. Je me suis sentie réchauffée et plus détendue.

— Attendez.

Le chanteur s'était arrêté pour céder la parole aux instruments.

— Attendez, dès qu'il va reprendre.

Malgré leur boubou, les Ouest-Africains sur la piste étaient à l'aise dans le rythme de nos danses cadencées. Félicité, jubilante comme une baigneuse qui jouirait de la température de la mer où elle vient de plonger, enveloppée dans un pagne moulant, bougeait ses hanches avec grâce et imagination, aussi souple qu'une gymnaste, sans heurt, fondant un mouvement dans le suivant. Elle s'est rendu compte que je l'observais, a éclaté de rire en mettant la main devant la bouche et m'a fait un clin d'œil. Son cavalier, sérieux et sûr de lui, dansait avec économie.

Le jour où je m'en irai, qui donc me pleurera ?
Je ne le sais pas.
Laisse-moi pleurer sur moi.
Mort dans la brousse ou mort au village ?
Mort de maladie ou mort dans l'eau ?
Ah, mama, le jour où je traverserai le fleuve...

150

Il avait rapproché son oreille de mes lèvres et je veillais à ne pas le toucher. Un moment, il s'est écarté, m'a fixée avec une expression de surprise, a secoué lentement, très lentement la tête, a avalé une gorgée de whisky et m'a demandé de continuer.

Le jour où je mourrai, moi la fille de joie,

Après la dernière strophe je lui ai confié que j'avais traduit « fille de joie » pour ne pas perdre le fil. En fait, *ndoumba* ne peut se traduire par un seul mot. C'est une notion propre à la société congolaise. J'ai essayé d'expliquer du mieux que j'ai pu et cela l'a fait rire. Mais je m'étais permis bien d'autres libertés avec le texte de la chanson. Allez donc savoir pourquoi spontanément j'avais chaque fois substitué « s'en aller » à « mourir » ? La métaphore sur la traversée du fleuve n'est pas non plus dans la chanson.

Quand l'orchestre a entamé les premières notes de *Para-Fifi*, un murmure de satisfaction a traversé l'assistance et tout le monde s'est levé. Il était difficile de résister à la mélodie et au rythme. Chief Olayodé, pinçant ses lèvres, a esquissé un léger tangage des épaules. C'était un morceau des années cinquante. On l'avait joué en ouverture du bal de mes noces.

Mpara, mpara, mpara, o di yé

Je me suis levée et j'ai invité l'homme, quelques instants décontenancé.

Elongui na yo chérie epesi ngai folie
Mino na yo mama e pauni penza ye ye

Malgré le rythme lent, je veillais à ce que nos ventres ne se touchassent pas.

— Vous n'êtes pas habitué, ai-je osé en tâchant de marier le rythme de ma phrase à celui de la danse, vous n'êtes pas habitué à être invité par une femme ?

151

Il a abandonné son air guindé et a consenti un sourire d'absolution.

– Ici, c'est courant. C'est même une politesse que nous devons à nos hôtes.

J'ai voulu préciser que cela ne prêtait pas à conséquence mais me suis tue.

A la fin de la danse, les applaudissements en direction de l'orchestre furent si nourris qu'il rejoua la rumba et fit durer notre plaisir.

Par la suite, comme si le premier pas l'avait déniaisé, c'est Chief Olayodé qui m'invita à plusieurs reprises.

Dans la pénombre d'une salle d'école, une escadrille de nguembos affolés allaient et venaient en rase-mottes au-dessus de nos têtes, poussant des cris perçants, mi-animaux mi-humains, chaque fois qu'ils se heurtaient aux stalactites torsadées du plafond couvert de lichen et de toiles d'araignée. Enragés, ils cherchaient vengeance en fondant sur nous. Nous nous protégions les yeux de la main, alors qu'il fallait demeurer vigilants. Le danger planait. C'est du moins ce que me chuchotait la voix d'une voisine, compagne d'infortune que l'obscurité m'empêchait de reconnaître. Nous étions entourées d'une foule qui jouait des coudes. Chacun voulait se pousser ou se maintenir au premier rang. Un amalgame grouillant de condisciples, d'amies et d'inconnues, tous également silencieux, dardant sur moi des regards de revenants rancuniers. Ils me reprochaient mon retard. « Deux minutes, deux minutes, petite bordelle ! » a crié une voix éraillée venant des rangs arrière. Je ne l'avais pas voulu. J'avais été retenue en chemin par les barrages de la milice qui recherchaient les filles sans soutien-gorge. J'avais beau expliquer, prouver, pleurer, mes explications provoquaient les ricanements d'un jury aux visages de masques pahouins, pongwés et bakwélés. « Deux minutes, c'est deux heures, petite bordelle ! » Les plus intraitables étaient les dames grimées à la manière des femmes beyombos du rite bwiti. L'une d'elles se libéra dans un rire hystérique et clama qu'elle aurait ma peau, surtout ma tête, et boirait mon sang. D'autres élèves, arrivées en même temps que moi et dans le même camion, avaient été admises et me lançaient des regards réprobateurs. « Mais, eh, vous-là ! Vous n'allez tout de même pas me coller à cause de ça. Et mon diplôme ? Pardon, pardon, compréhension, ko. »

– Chercheuse de jouissance ! a hurlé une sorcière aux dents limées.

Le chien roux a bondi, saisissant mon bras dans sa gueule, et la sonnerie fatale a retenti, trottinant nerveusement de son pas métallique à vous rendre folle. Elle ne voulait plus s'arrêter...

En ouvrant les yeux, j'ai eu un sentiment d'incertitude, semblable à ce que j'avais ressenti lorsque, à l'issue d'une opération, j'avais repris conscience. Je ne savais ni en quel lieu je me trouvais ni si c'était le réveil qui s'était déréglé ou bien le téléphone qui insistait. Malgré la saison, je transpirais.

Quatre heures du matin !

J'ai pensé à un appel d'Anicet, à cause du décalage horaire. Enroulée dans un pagne de vagabonde, titubant et tâtonnant comme une buveuse éméchée, j'ai réussi malgré le vertige à atteindre l'appareil dans le noir.

– Madame Atipo ?

Cela venait de l'*Olympic Palace*. Le délégué nigérian était malade. On avait réussi à faire venir un médecin mais le dialogue était impossible. Le docteur ne comprenait pas un mot d'anglais.

– Me déplacer ? Vous avez vu l'heure ?

– S'il vous plaît, madame.

Dehors, Simba qui avait perçu l'agitation s'était rapproché de la fenêtre éclairée et ayant reconnu ma voix, s'était mis à pleurnicher et à m'implorer lui aussi. J'ai demandé au standardiste de me passer la chambre de Chief Olayodé. Nous avons tenté d'avoir une conversation triangulaire

entre le docteur, Chief Olayodé et moi. Le Nigérian gémis-
sait et manquait de souffle pour terminer ses phrases.

La communication a été coupée et Simba a aboyé avec
fermeté.

J'ai rappelé l'hôtel pour demander qu'on vienne me chercher. J'avais peur de sortir seule en pleine nuit. Ils ne dispo-
saient d'aucun chauffeur et je ne savais comment joindre le
nôtre. Finalement, le docteur s'est proposé de venir lui-
même me chercher. Ce fut compliqué de lui expliquer où
j'habitais. Il n'était pas sûr de situer la rue Loutassi.

Accompagnée du chien qui s'était calmé, je suis sorti l'attendre, tapie dans le noir.

La soirée à *La Flottille* s'était poursuivie jusqu'à deux
heures du matin et j'avais peu dormi.

L'air était tiède et un léger brouillard recouvrait le Plateau-des-quinze-ans. Le docteur filait dans les rues vides. Sa
voiture sentait le renfermé et j'ai légèrement baissé la vitre.
Le filet d'air frais était pur et bon à respirer. Il apportait les
senteurs des sous-bois de saison sèche en provenance de la
forêt de la Patte-d'Oie. Je n'ai jamais réussi à savoir de
quelle feuille, de quelle fleur ou de quelle écorce elles éma-
naient. On ne retrouve pas ces odeurs ici dans l'île. A hauteur du boulevard des Armées, nous avons aperçu une
camionnette sans feux et surchargée qui cahotait en direction de Bacongo. La silhouette du chauffeur m'a évoqué
celle de Côme, l'époux de Félicité. Engourdis et les yeux
remplis de sommeil, les miliciens étaient encore à leur
poste au croisement du zoo. Le docteur a décliné ses nom et
titre, et le factionnaire qui semblait le reconnaître a fait un
signe de la main l'autorisant à poursuivre son chemin. Le
docteur a eu un mot de pitié, puis une remarque prudente
sur ces barrages.

Le garçon de service à la réception de l'hôtel avait abandonné le comptoir d'accueil et nous attendait sur le perron
entre la véranda et le hall de réception. Il nous indiqua le

chemin en grimpant devant nous l'escalier quatre à quatre.
La chambre était étouffante, les fenêtres fermées et le climatiseur éteint. Une forte odeur de kola et de santal m'a
prise à la gorge. Dès qu'il m'a vue, Chief Olayodé a passé
un haut de survêtement qui traînait sur une chaise pour
cacher ses épaules et son buste.

– Désolé.

Il avait souri puis esquissé un geste d'impuissance. Sa
voix était faible et il s'arrêtait pour respirer avant de terminer ses phrases.

Le médecin avait déposé sa sacoche sur la seule chaise de
la chambre et je m'étais assise sur le bord du lit.

Spontanément, Chief Olayodé se mit à décrire en anglais
tous les symptômes qu'il avait ressentis et à indiquer ce
qu'il avait vomi. Il utilisa plusieurs mots que je ne connaissais pas mais, d'après le contexte, je n'eus aucun mal à en
comprendre le sens et à les traduire au docteur. Celui-ci,
poursuivant son questionnaire, demanda à Chief d'ôter le
haut de son survêtement. L'homme me regarda, hésita un
instant et s'exécuta lentement, comme avec peine. Le buste
aussi puissant qu'un tronc de baobab, il avait des épaules et
des pectoraux d'haltérophile. Mystérieux et concentré,
tâtant le pouls, toquant la cage thoracique, examinant les
yeux et la langue, inspectant le fond de la gorge à l'aide
d'une mince lampe-torche, branchant le stéthoscope à ses
oreilles, le médecin recherchait une couleur ou une tache
suspecte, vérifiait tous les sons du corps massif de marbre
noir. Il fit la moue, leva le sourcil et conclut son diagnostic.
Rien de sérieux. Cœur de boxeur, dit-il en souriant. La
machine était en parfait état. Sans doute une intolérance
alimentaire. Il fouilla dans sa sacoche, en sortit quelques
échantillons, rédigea une ordonnance et prescrivit un
régime pour quelques jours. Il assortit son instruction de
quelques plaisanteries et recommanda, à défaut de repos,
un rythme d'activités plus ralenti pour le lendemain.

Quand nous avons pris congé de lui, notre malade a porté sur nous un regard de reconnaissance. J'ai pensé à Simba. Chief garda longtemps ma main dans la sienne et la serra. Confuse, je balbutiai des mots inaudibles dont je regrettais quelques instants plus tard l'incohérence. Lorsque, le lendemain, je frappai à sa porte pour lui apporter ses médicaments, son secrétaire, silencieux et l'œil noir, m'ouvrit la porte comme à contrecœur.

Malgré la fraîcheur de la soirée, Chief Olayodé avait préféré une table sur la terrasse. L'air était parfumé. Nous surplombions la piscine de jade transparente et, du cours de tennis, nous parvenait le son des balles frappées par les joueurs.

Il ouvrit le menu comme un album et en tenta une lecture à haute voix. Il prononçait les mots avec la gaucherie de ces enfants sourds qui répètent laborieusement les phrases après les avoir déchiffrées sur les lèvres de l'instructeur.

— Ça vous amuse ? Je vous l'ai déjà dit, je crois, un étranger sans son interprète est un handicapé privé de son infirmière.

Deux couples d'Européens s'étaient présentés sur la terrasse du restaurant. Le maître d'hôtel leur proposa la table voisine de la nôtre. L'un des hommes me salua discrètement. Un monsieur d'une cinquantaine d'années aux cheveux d'argent. Je lui répondis par politesse et automatisme. Je ne l'avais pas reconnu. Il entraîna discrètement ses hôtes vers une table plus éloignée de la nôtre.

Nous avions passé la commande et je ne savais comment briser le silence. J'avais dit tout ce qu'on peut imaginer pour présenter Brazzaville et je ne voulais pas lui rebattre les oreilles avec les mêmes propos. Chief Olayodé se félicita du paysage.

— Ici tout est calme, comparé à Lagos... (Chief parlait lentement comme s'il récitait des vers...) Pas de bruit, pas de fièvre, même la nature est tranquille. Ça doit jouer sur les esprits et les cœurs.

Quelques instants plus tard, je réussis soudain à mettre un nom sur le visage de l'Européen aux cheveux d'argent. C'était l'un des patrons d'Anicet, le fondé de pouvoir de la banque. Nous nous étions rencontrés à une soirée chez le directeur général lors du passage d'une délégation du Crédit Lyonnais.

En fait, Chief Olayodé et moi n'aurions pas dû nous trouver là. Un autre programme avait été prévu.

– A l'intérieur, me fit remarquer Chief, nous n'aurions pas respiré ce parfum. De quelle fleur provient-elle à votre avis ?

– Le frangipanier, indiquai-je après un moment d'hésitation.

– Le quoi ?...

Je n'étais pas sûre du nom en anglais.

– Cet arbre là-bas.

Du doigt, je désignai un massif de feuilles vertes piqueté de fleurs blanches au-delà de la piscine, à la limite de la cour de l'hôtel et de la villa voisine. Un projecteur l'éclairait. Le Nigérian plissa les yeux comme un myope qui accommode son regard.

– Ah, *frangipane-tree* ? C'est effectivement ça.

Il releva la manche de sa chemise.

– Vous voyez ?

Je ne distinguais rien.

– Regardez bien, vous allez voir.

Je me suis permis de prendre son avant-bras. Il était musclé et poilu.

– Vous voyez à cet endroit...

Il saisit ma main et guida mon index sur sa peau. Ce contact me troubla et je croisai fortement mes jambes.

– ...il y a comme une clairière dans la zone poilue. Eh bien...

Enfant, il avait eu un champignon exactement à l'endroit où mon doigt s'attardait. Sa mère avait vainement eu recours à tous les médecins de la capitale lorsque, à la faveur d'un séjour de son oncle à Lagos, celui-ci l'emmena sous un frangipanier, brisa une branche et en fit couler la sève sur la partie malade.

– En quelques jours, tout a disparu. Seule subsiste cette cicatrice...

Il arbora un sourire de satisfaction avant de poursuivre.

– Il faut aujourd'hui de bons yeux pour la déceler...

Le visage rayonnant, il me fixait comme un maître qui vient de révéler un secret à son disciple.

– D'ailleurs, la même chose est arrivée à mon fils, il y a quelques années. Lui, c'était sur la cuisse. Je n'ai consulté aucun médecin.

Le bruit d'une masse qui chutait dans l'eau rompit le silence. Un jeune Européen avait plongé dans la piscine en éclaboussant son compagnon debout sur le bord. Il criait d'une voix essoufflée que l'eau était bonne et encourageait l'autre à le rejoindre, par des gestes du bras et de la tête. Hésitant un instant puis se concentrant, celui-ci finit par se jeter dans la piscine la tête la première.

– Elle doit être froide, remarquai-je en remontant le châle sur mes épaules.

– Ils viennent d'Europe...

Des projecteurs intérieurs, placés je ne sais où, rehaussaient la couleur et la transparence de l'eau en lui donnant un ton bleuté luminescent. Les deux jeunes gens avaient abandonné leurs raquettes et leurs vêtements sur le bord de la piscine. Sûrement les membres d'un équipage.

– Vous êtes sûrs d'avoir acquis votre indépendance ? me demanda Chief Olayodé.

Je ne comprenais pas.

– Vous ne voyez pas autour de nous ? C'est nous, les Noirs, qui sommes l'attraction ici... A part les serveurs...

Maquis (circuit)

Ses leçons de nationalisme m'irritaient mais j'ai lâchement souri et j'ai respiré profondément pour garder un ton égal.

– Les Noirs viennent peu ici. Ce sont des lieux pour les touristes... En fait, j'ai tort de dire pour les touristes. Il n'y a pas grand-chose à voir à Brazzaville... Je devrais dire des lieux pour les passagers...

Les deux nageurs s'ébrouaient dans l'eau en se hélant et échangeaient leurs impressions en parlant haut et fort à la manière de sportifs dans un stade.

– Ce soir, je vous avais organisé un dîner congolais, mais...

Il eut un sourire de beau joueur.

Associant nos modestes ressources, Félicité et moi avions en effet pris des dispositions pour offrir à nos deux délégations un dîner congolais, dans un *maquis*. Contrairement à ce qu'on prétend, l'origine des *maquis* n'est ni camerounaise ni ivoirienne. Déjà, à cette époque, Maman Thérèse pratiquait la formule. Sur commande, elle cuisinait des plats du pays pour ses clients. On venait par couple ou en bande, chaque groupe dans une pièce, ou quelquefois dans l'arrière-cour d'une villa fort simple qu'elle possédait dans le quartier M'Pisa, au bord du fleuve, pas loin de la Case-de-Gaulle.

Chief Olayodé ne put participer à ce programme en raison de son régime. A mon grand étonnement, il s'était délesté de son garde de corps. Je sus plus tard que le chimpanzé avait été, sur instruction de son patron, dîner avec les autres, chez Maman Thérèse, à M'Pisa.

Maintenant, d'autres partenaires avaient dû occuper le court de tennis car on entendait à nouveau le bruit régulier et sec des balles frappées par les raquettes, comparable à celui de bouteilles qu'on débouche.

Chief Olayodé gloussa et me demanda de goûter son poisson, un bar grillé au fenouil.

161

– Effectivement appétissant, mais je voudrais rester sur le goût de ma langouste.

Il insista et me tendit son assiette. Sa voix était aussi sonore que celle d'un tam-tam à la peau bien tendue.

– Délicieux.

J'avais piqué dans la chair rose.

– Vous n'avez rien pris.

Il planta sa fourchette dans un morceau de choix et l'introduisit lui-même, en un geste délicat, dans ma bouche, m'accordant tout le temps nécessaire pour que je puisse me bien saisir du bout de chair.

– La prochaine fois que je viendrai, Madeleine, c'est ici qu'il faudra me loger.

– Vous aimez ?

– Merveilleux. Ces arbres en parasol au-dessus de la ville, puis le lac et les lumières de Léopoldville au loin...

Il prononçait Liopod'viwe.

La piscine lumineuse, où nageaient les deux Européens, m'a fait penser à un aquarium où allaient et venaient deux animaux des mers à peau couleur sable.

Il me versa du vin et, soulevant son verre d'eau minérale, m'invita à trinquer avec lui.

– Il faudrait, repris-je, venir en octobre ou en novembre. C'est alors la saison des flamboyants. Toute cette partie...

Il suivit le geste de ma main.

– Toute cette partie devient écarlate. Comme si la ville était recouverte d'un drap en flammes.

Chief Olayodé m'a demandé de lui montrer mes mains. J'ai hésité mais je ne me dominais plus. Refuser eût été insultant. Il les prit du bout des doigts, en examina le dos, les retourna et me les rendit.

On entendait les échanges des joueurs de tennis à un rythme régulier. Je ne savais quoi dire mais le silence était si gênant que c'est moi qui de nouveau le rompis.

– Je suis d'une ignorance honteuse en noms de fleurs et d'arbres.

162

Chief Olayodé mangeait lentement, prenant son temps, prolongeant à son maximum le plaisir de chaque bouchée. Il détacha l'arête du poisson et, après l'avoir saisie entre sa fourchette et son couteau, il la déposa sur le rebord de l'assiette.

– D'Afrique ou d'Europe ?

– Des deux... Peut-être même que je pourrais citer plus de noms de fleurs et d'arbres de pays tempérés que de pays tropicaux... Connaissances livresques. Les roses...

– Parce qu'on vous en a offert souvent... Des rouges, je devine...

J'ai émis un rire de petite sotte et j'ai porté ma serviette à mes lèvres.

– Vous ne voulez pas reprendre un peu de mon poisson ?

– Non. Non, merci.

Il insista et me détacha une partie dans la région de la queue.

– C'est le meilleur.

– Merci, mais je n'ai plus de place.

Je fis un geste vague en direction de mon estomac. Il se lança dans un développement sur les qualités nutritives du poisson.

– Mais vous me parliez des fleurs... Non ?

– Oh ! que disais-je ? Je ne sais plus. Sans doute quelque chose sans importance, sinon...

– Vous disiez... vous parliez de roses... de roses rouges !

– Oui, je disais que je serais bien en peine de vous indiquer dans un parterre lesquelles sont les marguerites, lesquelles les dahlias, les myosotis, les lys ou les jonquilles.

Cela a déclenché un rire moqueur puis, après un léger silence, quelques vers d'un poème en anglais que nous avions appris en classe. Chief Olayodé les chuchotait d'une voix troublante de basse, l'index levé pour capter mon attention, ses yeux dans les miens, détachant chaque mot, soulignant les allitérations et la musique des syllabes,

163

comme s'il me livrait une confidence, me chantait une peine dont il n'avait jamais parlé et qui le rendait successivement triste, brûlant de fièvre, exalté puis ruisselant de bonheur.

J'esquissai une mimique discrète d'admiration et émis un sifflement raté. Je n'ai jamais su siffler.

A cause du régime imposé par le médecin, il a refusé les desserts que nous proposait le maître d'hôtel mais a insisté pour que j'en prenne un, moi. Je me fis peu prier. Le pâtissier des *Relais* était réputé pour ses profiteroles. Quelquefois, quand il voulait briser la monotonie des dimanches après-midi, Anicet m'emmenait dans les jardins de l'hôtel où je dégustais des sucreries en buvant un thé devant la piscine.

J'ai suggéré à Chief de prendre une citronnelle. Là encore, j'ai rencontré des difficultés de traduction mais il m'a fait confiance.

Lui connaissait un grand nombre de noms de plantes, de fleurs et d'essences d'arbres différentes qu'il pouvait reconnaître et nommer en yorouba, en anglais ou en latin.

– Et tout à l'heure, vous n'avez pu reconnaître l'odeur d'un frangipanier ?

– Vous avez raison. C'est contradictoire. C'est comme ces écrivains qui continuent à faire certaines fautes d'orthographe ou de syntaxe...

J'ai évidemment pensé à William Blake et voulu faire montre de mes connaissances mais, n'en étant pas sûre, j'ai préféré me taire. Il importait de ne dévoiler à l'homme que le meilleur de ma personnalité. Je ne voulais de surcroît pas l'interrompre. Sa voix de basse et son ton toujours contrôlé, toujours maîtrisé, me rassuraient et m'enchantaient.

– Vous, en revanche, l'avez reconnue. J'ai même cru que vous étiez une spécialiste.

Un rire absurde secoua mes épaules.

164

– C'est parce que les femmes sont plus sensibles aux odeurs que nous...

Cette fois-là, j'ai osé le contredire. J'ai même persiflé.

– Auriez-vous des préjugés de même nature que les racistes ?

Il ne me comprit pas et poursuivit son idée.

– Si, si, si. Il y a des études très sérieuses là-dessus.

– Pour les prétendus qualités et défauts des Noirs également !

– Ce n'est peut-être pas faux. Regardez dans le domaine du sport...

Il m'a cité des exemples. Je m'attendais qu'il mentionne aussi les performances sexuelles des Noirs. Il n'a pas osé. Ce n'était pas son style. Il avait plutôt le genre Oxford ou Cambridge. « Yorouba », m'eût-il immédiatement corrigé !...

A la mort de son père, sa mère était retournée au village où un oncle avait pris la charge de son éducation. Il l'avait initié à toutes les arcanes de la botanique, à mille secrets sur les pouvoirs des plantes, des arbres et des fleurs.

– L'oncle qui vous conseilla d'utiliser la sève de frangipanier pour votre champignon ?

– C'est ça.

En partant, nous sommes descendus par la pelouse qui longe la piscine et sommes sortis par un portillon qui débouche sur la route goudronnée au sommet de la colline des *Relais*. Je voulais lui faire découvrir la vue sur Poto-Poto. Des milliers de lumières, frissonnantes comme des flammes de bougies, s'alignaient en parallèles et se coupaient à angle droit.

– Quand je reviendrai à Brazzaville...

– Parce que vous comptez revenir ?

– Oui, maintenant que je connais, je voudrais revenir mais dans des conditions différentes... En touriste, pour mieux comprendre...

165

Le chauffeur dormait et il a fallu que nous frappions plusieurs fois contre la vitre pour le réveiller.

— D'ici là, vous aurez appris la langue.

— Ça dépend laquelle.

— Le français, bien sûr.

— Pas question ! Mais le congolais, oui.

— Congolais ? Vous voulez dire lingala, kikongo, vili ?... Nous en avons quarante-deux.

— La langue des chansons.

Nous avons croisé un couple en train de deviser, la main dans la main. Chief Olayodé a répété que, la prochaine fois, c'était là qu'il faudrait le loger. Il aimait cette formule de bungalow individuel.

— Quand vous reviendrez, je crains qu'ils n'existent plus.

— Et pourquoi donc ?

— On s'apprête à les détruire... Un projet de modernisation.

— Modernisation ?

Il a ricané.

— Oui, une tour.

— Décidément !

Chief Olayodé a haussé les épaules.

Qui n'a pas vu Pointe-Noire ignore une dimension fonda-
mentale de notre âme. C'est comme de visiter la Russie
sans pousser jusqu'à Saint-Pétersbourg ou la Chine en
négligeant Shanghai, Le programme y prévoyait donc un
séjour. J'y accompagnai les Nigérians. La ville était grise,
triste et sale. J'en garde un souvenir merveilleux.

De passage, quelques années plus tard, je n'ai pas su y
retrouver la villa où nous avions été logés.

Elle était située quelque part dans l'ancien quartier européen, à l'écart du centre, dans une zone de terrains vagues
envahis par de hauts matitis, à proximité de la mer. Quand
on ouvre la fenêtre, on aperçoit des cocotiers mal entrete-
nus aux branches rouillées qui pendent lamentablement
comme un linge sur un fil à sécher. S'étend ensuite un
champ de roseaux dont les pieds trempent dans une eau sta-
gnante. Plus loin la mer, bleue et propre.

Dès l'aéroport, on m'avait annoncé que nous serions
séparés en deux groupes. Chief Olayodé, son garde du corps
et moi dans une villa, le reste de la délégation à l'hôtel. Je
demandais à vérifier. Ces cases de passage, qui furent un
des luxes de l'époque coloniale, sont aujourd'hui souvent
mal entretenues.

C'était une maison à deux niveaux. Elle avait dû servir de
logement de fonction à quelque coopérant. Les salles de

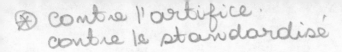

séjour étaient au rez-de-chaussée et les chambres à l'étage. Une sentinelle logeait dans une bâtisse au fond du jardin : un vieux papa armé d'une lance. Plus un symbole qu'une protection. Il avait vu passer des générations de colons et personne n'avait ni le courage ni la méchanceté de l'envoyer à la retraite. Dans la voiture, au retour de mon inspection, j'ai insisté pour qu'une garde plus sérieuse fût assurée : Chief Olayodé avait rang de ministre dans son pays !

Pour bien souligner l'importance de sa ville et de sa région, le commissaire du gouvernement avait élaboré un programme indigeste. J'ai eu du mal à obtenir une pause d'une heure après le déjeuner. Les visites avaient été préparées avec soin et tout se déroulait à la chinoise, façon révolution culturelle, jusques et y compris le morceau final de fausse modestie des encadreurs. A chaque occasion, que ce fût dans la plantation d'eucalyptus, sur le chantier de construction de la future raffinerie ou dans la coopérative des maraîchers de Loandjili, Chief Olayodé dut prendre la parole pour remercier des cadeaux touchants qui lui avaient été offerts et répondre à des discours écrits, au demeurant toujours bâtis sur un modèle unique, dans une rhétorique où une oreille avertie reconnaissait la traduction littérale tantôt du chinois, tantôt de l'espagnol cubain. Ces meetings se terminaient par des slogans de solidarité à l'adresse des frères nigérians face aux visées « impérialistes et néo-colonialistes », tandis que les travailleurs réunis en cercle ponctuaient les mots d'ordre en braillant des *oyé !* joyeux et en lançant leurs poings vers le ciel. Les réponses de Chief Olayodé ressortissaient à un style différent. Toujours très brèves, elles se contentaient d'affirmer deux ou trois idées simples et fondamentales que la politisation de notre vie quotidienne nous avait fait oublier. Chaque fois, il rafraîchissait son propos d'un dicton yorouba que je préférais traduire directement en mounoukoutouba pour la grande joie du public.

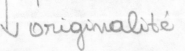

168

Le commissaire du gouvernement tint à raccompagner son hôte jusqu'à la villa. Il annonça qu'il viendrait également le chercher lui-même le lendemain, à neuf heures, pour la visite de l'usine de potasse.

Dans la villa (on disait « la case ») de passage, toutes les chambres se trouvaient à l'étage et la porte de la mienne faisait face à l'escalier.

En ouvrant ma valise, je me suis aperçue que, dans la précipitation du départ, j'avais oublié ma chemise de nuit. Même sans climatiseur, la nuit, en saison sèche, est trop fraîche pour se coucher nue.

J'avais emporté plusieurs livres et je souhaitais lire quelques pages avant de m'endormir. Une vieille manie.

J'ai enroulé un pagne autour de mon corps.

Au-dehors, la nuit était aussi silencieuse que dans les villages de brousse. Même pas cette rumeur éloignée des véhicules de la ville qui me parvenait affaiblie dans notre case de la rue Loutassi. Plus j'avançais, plus le plaisir de la lecture se transformait en une impression de soulagement physique et de paix.

Le téléphone a retenti au rez-de-chaussée. A cette heure, sa sonnerie avait quelque chose d'insolite. Il fallait me lever car elle risquait de réveiller Chief Olayodé. C'était peut-être Anicet. J'hésitai un moment à cause de ma tenue.

Quelqu'un a frappé à ma porte.

C'était Chief Olayodé lui-même ! Il a juste passé la tête dans l'entrebâillement de la porte.

– Excusez-moi, madame, quelqu'un au téléphone... Je ne comprends rien à ce qu'il raconte...

J'ai enfilé ma camisole à la hâte et je retenais discrètement mon pagne, de peur qu'il ne se détachât.

– Là, dans ma chambre...

En pénétrant dans la pièce, j'ai été saisie par une odeur de musc. Au lieu de me repousser, elle me donnait envie de m'y attarder comme à celle de mon propre corps. La voix

169

au bout du fil se croyait chez quelqu'un d'autre. J'ai raccroché et expliqué à Chief Olayodé qu'il s'agissait d'une méprise. Il s'est contenté d'en sourire. Il était assis sur son lit défait et se caressait les pieds comme aiment à le faire les Ouest-Africains pour se détendre, quand ils sont dans leur intimité. Il m'a regardée de haut en bas et son regard s'est arrêté un moment sur mes jambes.

– Excusez-moi, ... Madeleine...

Depuis quelques jours, il lui arrivait de m'appeler par mon prénom. Je ne l'avais pas repris.

– Excusez-moi, madame, de vous avoir dérangée... mais je ne comprenais pas un mot.

– De rien... Je suis là pour ça.

Dans le couloir, en regagnant ma chambre, je me suis reprochée ma dernière phrase. Elle était absurde.

J'ai ôté ma camisole et me suis calée dans la position que j'affectionne pour lire au lit.

Pourquoi avoir spontanément pensé qu'il pouvait s'agir d'un appel d'Anicet, pourquoi ? Brusquement, je me suis rendu compte que, dans mon empressement, j'avais emporté mon livre dans la chambre de Chief Olayodé et l'y avais oublié. J'ai eu honte de mon étourderie mais j'en ai finalement ri. Seule. Comme une écervelée. Où avais-je la tête, mon Dieu, où avais-je la tête ?

Résignée, j'ai éteint la lumière et me suis couchée en chien de fusil sur le côté gauche, celui où le sommeil vient le plus vite. Pour Anicet, c'était le contraire. Il ne pouvait s'endormir que sur le côté droit. Ensuite, plus tard au cours de la nuit, il se retournait sur le dos et se mettait à ronfler. Il faut alors, paraît-il, siffler pour arrêter le ronfleur. Peu rompue à cet exercice, je préférais lui pincer le nez, voire le secouer.

J'ai entendu quelques craquements légers et j'ai pensé aux cancrelats. J'ai même craint que ce ne fût une souris, ou un rat. Il suffit d'une souris pour déclencher chez moi une

170

crise d'hystérie, surtout quand je me trouve dans un milieu inhabituel.

Un rai de lumière sous la porte et des pas dans l'escalier. Sans doute le secrétaire qui descendait vérifier quelque chose. Je me suis relevée pour verrouiller ma porte mais elle n'avait pas de clé.

L'inquiétude qui me gagnait était absurde et je tentais de me raisonner. J'ai frissonné comme une enfant à qui la nuit ramène les histoires de diables et de Dongolo-Misou, le croque-mitaine de nos contes. J'entendais le pas des sentinelles et leurs conversations à voix basse, dehors.

J'ai changé de position dans le lit pour tourner le dos au rai de lumière sous la porte. Les gonds ont grincé et j'ai allumé la lampe de chevet.

– Excusez-moi... N'ayez pas peur.

Sa voix grave et chaude comme celle de Louis Armstrong.

– Excusez-moi, ... Madeleine... Vous... Vous avez oublié ça...

En fait, Chief Yinka Olayodé semblait aussi décontenancé que moi. De la porte, il me tendait le livre et n'osait faire un pas de plus. Apaisée, j'ai souri et il a retrouvé son aplomb. Lui aussi a hasardé un sourire.

– Oh, ce n'était pas la peine... Demain, ça... Je ne m'en suis même pas aperçue... Merci.

– De rien, Madeleine. De rien.

J'étais assise, la tête et le dos appuyés sur deux oreillers posés contre le mur. J'ai rajusté mon pagne en le renouant sous mes aisselles, l'ai remonté et j'ai serré mes genoux.

Il a dû comprendre que je ne pouvais pas sortir du lit sans prendre de risques. Il s'est avancé et a posé le livre avec précaution sur la table de chevet. Je l'ai remercié encore une fois et il a répété que ce n'était rien.

J'ai de nouveau souri. Juste un bref sourire de politesse... pour ne pas paraître grossière. Je sentais le sang battre dans les artères, bouillir dans la région du ventre. Il était pieds

171

nus et portait un pyjama bleu marine à liseré blanc, boutonné jusqu'au cou.

– Je voudrais aller boire. C'est en bas, je crois.

– Ah, excusez-nous. J'aurais dû leur dire de vous monter de l'eau dans votre chambre. J'y veillerai demain, Chief... Excusez-moi.

Il gardait la main sur la poignée de la porte. Ses orteils avaient quelque chose d'amusant qui tranchait avec le personnage. Je ne sais pourquoi il m'a fait penser à un prisonnier dans sa tenue.

– Vous aimez Baldwin ?... Je me suis permis de regarder, ajouta-t-il avec un mouvement de menton en direction du livre.

Sa voix a pris un timbre inhabituel : blanche et frissonnante.

Au lieu de sortir, il a refermé la porte derrière lui et a fait quelques pas dans ma direction.

– Moi aussi, je l'ai lu. Passionnant.

Il s'est mis à marcher lentement dans la pièce en regardant autour de lui.

– Pourquoi vous êtes-vous installée ici ? L'autre chambre est beaucoup mieux.

Avant que j'aie pu répondre, il expliquait déjà que le secrétaire avait choisi, lui, l'autre, en face de lui et il croyait que... En fait, Chief Yinka Olayodé n'appelait jamais cet homme son secrétaire. Il utilisait un nom yorouba que je n'arrivais pas à retenir, que je ne voulais pas faire répéter et que, bien sûr, j'ai oublié aujourd'hui. Félicité et les camarades du protocole préféraient le nommer « le féticheur ».

– Et vous lisez Baldwin dans le texte ?...

J'ai dû bredouiller quelque chose d'incompréhensible. Ce n'était pas facile. Comment trouver les mots justes ?

– Vous comprenez tout ?... Même les expressions usuelles et l'argot de Harlem ?

Je lui dis que j'avais les dictionnaires appropriés à

172

Brazza ; que j'essayais surtout de comprendre d'après le contexte. Il croisait tantôt ses bras sur sa poitrine, tantôt les mains en avant plus bas au-dessous de la ceinture, tantôt derrière le dos, à la manière des adolescents timides. Quel était donc le sens du jeu involontaire de ses orteils boudinés ?

– Vous savez... Les Noirs américains... Les frères-là n'ont pas encore résolu leur problème de race.

Il avait perdu son assurance de Chief.

– Vous n'avez jamais été aux States ?

Il pensait connaître ma réponse et s'apprêtait à continuer. Il allait me raconter l'Amérique.

– Si, j'y suis allée.

– Ah, oui ?... Tiens, tiens... Et vous y êtes restée longtemps ?

– Non, un an.

Je ne pus réprimer un sourire amusé. Il croisa les jambes, chercha une position qui lui permit de retrouver son maintien d'aristocrate et finit par s'adosser au mur.

– Vous avez vraiment choisi la chambre la moins avantageuse, Madeleine... L'autre est mieux, ici il n'y a même pas de chaise pour les visiteurs.

J'ai brusquement changé de conversation, et l'assurance de ma voix m'a étonnée moi-même.

– Vous croyez vraiment que c'est une heure pour rendre des visites, monsieur le ministre ?

– Oh, je ne suis pas ministre.

– Imaginez que le commissaire de gouvernement débarque là, Chief.

Il me demanda de ne pas l'appeler Chief mais Yinka, m'expliqua qu'il aurait même fallu dire Ola Yinka, qui constituait toute une phrase. Il me taquina sur mon prénom chrétien. Je lui ai révélé le traditionnel et lui en ai expliqué le sens. Les Yoroubas, m'apprit-il alors, procédaient de même pour identifier leurs jumeaux.

Au moindre mouvement, je veillais à ce que mon pagne ne glissât pas.

– Si vous v...

Peut-être avais-je l'air d'une grande dame maîtresse d'elle-même. En réalité, des tam-tams infernaux roulaient dans ma poitrine et mon sang suivait le cours de rapides et de cataractes aux circuits désorganisés.

– Imaginez, Chief, qu'un membre de votre délégation vous cherche.

Il a fait la sourde oreille, s'est assis à côté de moi et a pris mon livre. Il a d'abord parcouru la quatrième page de couverture rapidement, trop rapidement pour la lire véritablement, et s'est lancé dans une description et une théorie sur les Noirs américains. Il parlait lentement en prenant son temps. Je sentais l'odeur de musc et de kola.

Je l'ai contredit. Je n'avais pas discuté avec autant de passion depuis les années d'université. En bas, la pendule du salon a carillonné lentement, indiquant une portion d'heure. Je ne pouvais pas vérifier car pour atteindre ma montre sur la table de chevet, il aurait fallu me pencher devant lui avec le risque de voir mon pagne glisser. Peut-être était-ce l'heure où, là-bas à Brazzaville, Anicet m'appelait à cause du décalage horaire.

– Excusez-moi, je parle, parle, parle, et vous avez peut-être sommeil.

J'ai avancé la lèvre et haussé les épaules. Je ne savais plus.

– Je vais partir, madame.

Mais il ne bougeait pas. Il a soudain baissé la voix et s'est mis à chuchoter comme pour ne pas troubler le silence de la nuit.

– Vous me permettez quelque chose, madame ?

– Ça dépend...

– Un compliment... Simplement un compliment.

174

J'ai tenté d'adopter un visage impénétrable mais il a dû distinguer l'esquisse d'un sourire difficile à réfréner.

– Vos épaules, madame...

Il n'a pas fini sa phrase et m'a baisé l'épaule gauche. Du bout des lèvres, chastement. Et il a pris appui sur le lit pour se lever.

Hardie, j'ai cette nuit-là franchi les cols. Rompant les attaches, incendiant mes vaisseaux, j'ai pénétré le cercle interdit. Enfreignant les tabous, j'ai placé le tam-tam entre mes genoux. Tantôt cheval, tantôt violoncelle. Et le rythme du batteur guida ma caresse sur sa peau. Tendue, ferme, longtemps, longtemps, tandis que jouait l'appel des profondeurs, l'allongement du temps. Au bord du lac salé, j'ai rencontré le dieu du feu et de l'acier et j'ai offert mes seins en poupe à la bonté tiède de l'eau du ciel. Toute la nuit, il m'enseigna le rythme à battre. Roulement lent, incessant, saccadé, où jamais le corps ne s'épuise, où la peau se veloute, où il suffisait de dire avec les yeux pour que sa bonté ensemençât la nuit de lucioles et pour que perdurât la magie. Le tam-tam docile répondait à la caresse de ma paume. Le tam-tam battait mon pouls. Oh, la poitrine en poupe ! Oh, la joie des reins ! Oh, la cambrure des corps ! Nous retenions nos souffles et tu m'as donné l'ordre de commander. Tam-tam déjà chanté, tam-tam que j'entendais toujours au loin, tam-tam la veille encore inaccessible. Je me suis aspergée, je me suis baignée, je me suis roulée dans les eaux du baptême et j'en ai suffoqué...

Le matin, en ouvrant les yeux, j'ai failli hurler de frayeur. Une tache noire sur la descente de lit : masse sombre, informe qui a paru remuer doucement. La forme d'un chien ou d'un boa qui se serait enroulé là pendant mon sommeil.

Mon cœur s'est emballé et il m'a fallu un moment pour retrouver le rythme normal de mon souffle.

C'était seulement mon pagne que, dans le désordre de la nuit, j'avais jeté à l'aveuglette.

Il était tôt, les rideaux n'étaient pas assez épais et le soleil avait pénétré dans ma chambre.

Dans la maison, les deux hommes dormaient encore et des oiseaux derrière les feuillages de je ne sais quel arbre piaillaient. J'ai fredonné un air de negro spiritual. Il était tôt et j'avais le temps de traînailler. Je tendis la main en direction de mon réveil. Lui aussi était tombé. En voulant l'atteindre, j'ai remué les draps et libéré une odeur de musc et de kola. J'ai continué à fredonner la prière des plantations de Virginie d'une voix de gorge profonde que j'allais puiser au fond de ma poitrine, plus loin encore.

Du dehors, me parvenait le bruit de l'eau glacée qui chutait contre la pierre. Les gardes se débarbouillaient sous le robinet de la cour. Je ne les comprenais pas parce qu'ils s'exprimaient en vili, mais je devinais à leurs exclamations et à leurs éclats de rire que l'un taquinait l'autre.

Ma peau sentait une odeur forte et enivrante qui n'était pas tout à fait la mienne, mais un mélange de lourds parfums.

Il fallait se lever.

Le soleil était déjà haut et le ciel pur. Il y a de telles journées en plein milieu de la saison sèche sans qu'on en sache très bien la raison.

La journée fut harassante. Après une visite des mines de potasse au pas de course, nous sautâmes dans les Land Rover pour nous rendre à la station de Dimonika. Dans chaque lieu, les explications fourmillaient de mots techniques que j'avais du mal à traduire.

– Peu importe, disait en se moquant Chief Ola Yinka Olayodé. Je ne retiendrai pas le dixième de ces visites.

Sinon, je serais depuis fort longtemps devenu savant. Avec tout ce qu'on m'a fait voir au cours de mes voyages à travers le monde !...

La forêt du Mayombe impressionna Yinka. Bercée par les cahots de la Land Rover, je me suis assoupie un moment. Quand je me suis réveillée, le commissaire du gouvernement, en verve, multipliait les anecdotes. Il les tenait des maquisards angolais qui assuraient que la forêt-là était plus meurtrière que celle de l'Amazonie. Quand il s'est aperçu que je résumais son propos à Yinka, il s'est mis à intercaler des blancs entre chaque phrase pour me permettre d'assurer une interprétation rigoureuse. Il a raconté aussi quelques histoires fantastiques sur des êtres étranges dont cette jungle était jadis le territoire et qui revenaient quelquefois la hanter les nuits de pleine lune.

– Ce sont des légendes ? a demandé Yinka.

L'autre a souri d'un air mystérieux.

– Des légendes ? En tout cas, c'est ce que racontent les vieux qui y vivent...

Et le commissaire du gouvernement a brusquement paru soucieux.

Il y eut des temps morts, de longs silences où Yinka aussi bien que le commissaire s'assoupirent. Leurs têtes dodelinaient, secouées par les cahots du véhicule, et j'en profitai pour récupérer moi aussi.

Nous rentrâmes fourbus en fin d'après-midi. Une lumière rasante venue de la côte éclaira un moment Pointe-Noire et expira dans le ciel triste et cotonneux. La mer était molle et semblait se reposer. La nuit tomba sans crépuscule et il a fait froid dans mon cœur.

Yinka me pria de négocier avec le commissaire du gouvernement l'annulation du programme de la soirée parce que nous devions prendre l'avion très tôt le lendemain pour retourner à Brazzaville. Le responsable de la région, qui n'avait cessé toute la journée de clamer sa simplicité et d'in-

178

onscience de son rôle de narratrice.

viter Yinka à se mettre à l'aise, à faire comme chez lui, m'ordonna d'expliquer à notre hôte qu'un tel changement créerait un incident. Il était trop tard. Le maire de la commune en serait offusqué.

Résigné, Yinka se vêtit d'un boubou gris pigeon et eut le plaisir de dîner congolais. On servit même du vin de palme frais et doux.

— Ah, voilà! Je reconnais le goût du poisson de mer, ... du vrai poisson de mer, me dit Yinka, au cours du repas.

Il faisait allusion à une discussion que nous avions eue lors du dîner aux *Relais*. Je crois avoir oublié de faire mention de ce détail, lorsque, plus haut, j'ai relaté cette soirée.

— Pardon? demanda le maire en se penchant.

— Non, c'est rien, expliquai-je au Congolais. Juste une plaisanterie entre Chief Olayodé et moi. Il me taquine parfois.

A la fin du repas, le maire se leva et tira d'une poche des feuillets pliés en quatre. Après avoir chaussé de grosses lunettes, il nous infligea un prône burlesque, au style ampoulé, dans un galimatias que j'améliorais quelquefois dans ma traduction. Comme il mangeait la main sous la table, à la manière britannique, Yinka en profita pour la poser sur ma cuisse et la serrer. J'ai frotté ma jambe contre la sienne et fermé les yeux un court instant.

— Dès qu'il s'est levé, me dit-il, je savais au mot près ce que le bonhomme allait raconter... Vous voyez que j'ai appris votre langue...

J'eus du mal à conserver mon sérieux.

— Faites semblant de continuer à traduire, mais dites-moi à la place quelque chose de plus amusant... N'importe quoi... Un poème, par exemple... Vous riez?... Si, si... Allez-y, ... Allez, j'écoute...

Je songeai un instant au poème d'un romantique anglais que nous avions appris à l'École normale, mais je me ravisai. Je me mis à murmurer des vers de Langston Hughes. Je

179

identification à la poésie de Hughes.

les connaissais et les disais mieux. Un poème concis au rythme de blues. J'ai murmuré les vers, d'abord en hésitant, timidement, comme quelqu'un qui cherche ses mots.

Yinka ferma les yeux et ne bougea plus jusqu'à la fin comme s'il ne perdait aucun mot du discours.

... Moi aussi, je suis l'Amérique.

Par politesse et discipline, tout le monde a applaudi le maire et des activistes dans la salle ont fait scander des slogans du parti qu'il fallait hurler en brandissant le poing vers le plafond.

Yinka applaudit à se rompre les mains et voulut savoir de qui, dans quel recueil, étaient les vers que je venais de chuchoter à son oreille.

Je ne sais dans quelles ressources Yinka trouva le ressort et puisa l'inspiration de sa réponse. Il capta l'attention des convives qui avaient écouté d'une oreille distraite celui du responsable local. Il termina en jetant aux tables en face de lui : « Moi aussi, je suis le Congo ! »

Tandis que les invités se levaient pour l'ovationner, Yinka se tourna vers moi. Il avait alors la raideur et le port de tête d'un officier prussien. Il planta ses yeux dans les miens, sourit, puis me demanda de lui écrire les références exactes du poème de Langston Hughes.

– Vous avez raison de la féliciter, intervint le maire. Vous avez raison, elle vous a merveilleusement traduit.

Je dis à Yinka que le maire avait été fasciné par son toast et qu'il en voulait le texte, pour le journal local.

Malgré la fatigue de la journée et surtout de la nuit précédente, j'avais du mal, de retour à la case de passage, à trouver le sommeil. Impossible également de me concentrer sur mon livre. Je me suis assoupie très tard mais mon sommeil était léger, et j'ai entendu frapper à la porte. Doucement, très doucement, presque un grattement.

Dehors, l'un des gardes chantait à mi-voix un air à la mode qu'on fredonnait beaucoup cette saison-là à Léopold-ville.

L'odeur de musc et de kola de la veille remontait du fond des draps et je fermai les yeux.

Sa langue avait le goût du miel.

Je savais bien, je me doutais que l'amour puissant est une danse qui dure plus longtemps qu'une bourrasque. La main qui prit la mienne était ferme. Yinka avait un corps de guerrier sculpté dans de la pierre luisante. Confiante, je me suis laissé faire, ma mère, je me suis abandonnée et me suis laissé délacer. Il faisait bon, blottie dans la grotte aux mille saveurs. Un souffle passa dehors et les feuilles de la nuit frissonnèrent en chuchotant. Nous avons couru sans jamais perdre notre souffle. Ô, toi qui me montras l'étendue de la contrée où les soleils ont au gosier le goût des alcools d'Orient, et où le sable embaume les soirs calmes sous les branches de grands arbres, ô toi qui fis sentir à ma peau la tiédeur de l'eau de pluie, dis, dis donc, pourquoi tant de bonté pour la fille fragile ?...

– Nous allons inventer un jeu, murmura-t-il. Le premier qui se réveille réveillera l'autre.

Nous n'inventions pas. Je me demandais même si je n'avais pas lu cette phrase quelque part. Et quand cela aurait été ! Même dite et répétée par d'autres bouches après d'autres bouches, sur d'autres couches, dans toutes les langues de la planète, siècle après siècle, je l'aurais encore reçue comme une offrande !...

Allez donc savoir où finissait le rêve, où débutait le sol. Le sable prolongeait son tapis dans la mer, et les vagues effectuaient des galipettes en roulant sur la grève propre, s'aventurant jusqu'au bord des dunes et se sauvant aussitôt comme ces enfants intéressés qui jouent les sauvages lors-qu'ils vous rencontrent pour la première fois et veulent se faire apprivoiser.

– Et dire que je n'aurai pas vu la mer, dit-il d'une voix triste.

– Viens, on peut la voir de là.

Nous avons marché dans la chambre, l'un et l'autre nus, et nous avons ouvert la fenêtre comme des voleurs en veillant à ne pas attirer l'attention de la garde.

J'ai posé mon menton sur son épaule pour qu'il m'entende bien.

– A gauche, la Côte sauvage...

Et j'ai expliqué en repeignant l'horizon.

– Si tu prêtes bien l'oreille, tu entendras le bruit de la barre qui se brise.

Nous avions de la chance car c'était le clair de lune.

– Là-bas, c'est la Plage mondaine.

Mais il fallut refermer la fenêtre à cause des moustiques. Plus tard, il a dû se lever pour allumer le climatiseur tant nous transpirions.

Le garde de faction a repris sa chanson. Il l'avait dans la gorge et n'arrivait pas à s'en débarrasser.

Yinka m'a dit que j'étais sa *romance*. J'ai compris le mot anglais dans son contexte, sans en connaître la traduction littérale.

– Redites-moi encore, madame, ce poème de Langston Hughes.

Il est délicieux de se faire appeler madame, de se dire vous en faisant l'amour. Mais l'anglais permettait-il de distinguer si nous nous vouvoyions ou tutoyions ?

– Non... je récite mal. Je vous le transcrirai demain... Mais vous... Vous, vous savez réciter... L'autre soir aux *Relais*...

Il a eu un rire amusé. A travers les rideaux, on sentait que la lune s'était légèrement voilée. L'un des gardes devait faire sa ronde car on entendait son pas lent sur le gravier.

– En connaissez-vous un autre ?

Il a ri de nouveau puis a légèrement bougé, laissant

182

s'échapper une odeur de musc et de kola broyé. Et, lentement, comme une plainte dans un délire, il s'est mis à réciter Annabel Lee.

Elle était enfant, et j'étais enfant...

Je me laissais caresser par sa voix aussi chaude que celle de Louis Armstrong.
Mais je ne devrais pas raconter cela.
Les femmes n'ont pas à chanter leurs passions sans les habiller.

La voiture filait vers l'aéroport aux limites de Brazzaville, blanche de brume, de fumée et de poussière. La poitrine oppressée, j'avais du mal à respirer. J'eus envie de pleurer comme une enfant. Même pas pour me soulager. Pour conjurer l'insoutenable chagrin dont je sentais l'odeur dans le vent qui s'engouffrait par la fenêtre du véhicule. Pourtant, même si nous n'en avions pas rappelé les termes, je savais dès le début quelle était la règle du jeu.

J'évitais de me retourner. Yinka, installé à l'arrière dans le coin droit, conversait avec le haut fonctionnaire du ministère qui savait assez d'anglais pour se passer de moi. Ils commentaient la situation des produits de base sur les marchés mondiaux. Assise à la droite du chauffeur, l'esprit absent, je fixais la route devant moi. Au carrefour de la Patte-d'Oie, j'aperçus le stade de la Révolution et pensai aux explications que j'avais fournies le jour de son arrivée. On eût dit que c'était la veille. Comme d'une bobine qui se dévide, le début avait été très lent. La fin était d'une vitesse étourdissante. Irrémédiable et cruelle, elle m'attendait au bout de l'avenue à double voie.

Les deux hommes échangeaient des points de vue en professionnels de même métier et de même rang.

La veille, j'avais à deux reprises éclaté en sanglots.

Une première fois, bêtement, à la maison devant les nièces, malheureuses et désemparées de me voir dans cet

184

état. Quand, un peu plus tard, Blandine était sortie, Germaine était venue me prendre la main pour me consoler. Elle m'avait dit de ne pas m'en faire ; ce n'était rien, tonton Anicet finirait par téléphoner : il avait quitté Washington pour une tournée « en brousse », en des lieux sans moyen de communication !

La seconde fois fut aussi absurde. J'étais dans les bras de Yinka, calme, apaisée, et un mince filet de bonheur coulait en moi. En face du lit, au-dessus du bureau, j'apercevais une aquarelle pâle. Une scène de pêche. Je ne sais pas pourquoi, j'ai brusquement flanché et il m'a fallu du temps pour maîtriser mes nerfs. Quelques instants auparavant, j'étais en train de prendre des deux mains son visage concentré au-dessus du mien tandis que, couvrant ma poitrine de la sienne, la rage au corps, il attisait le feu en moi et me confiait à l'oreille ses regrets d'avoir perdu autant de nuits depuis le jour de son arrivée.

Arrivés à Maya-Maya, je les ai abandonnés et j'ai fui le salon d'honneur. J'avais ramassé les passeports et les billets de toute la délégation pour aller m'occuper moi-même des formalités. L'avion était plein. Grâce à mon badge, j'ai évité la queue. Une foule de Haoussas surchargés et de commerçantes en pagne négociaient bruyamment des kilos d'excédent de bagages. En passant à leur hauteur, je fus saisie par une odeur de sueur, d'épices et de kola.

Nous étions revenus de Pointe-Noire l'avant-veille. J'avais passé le plus clair des deux nuits à l'*Olympic Palace*. En me voyant descendre l'escalier, le réceptionniste de permanence, par respect pour moi, faisait semblant de sommeiller. La première nuit, je m'étais dissimulée derrière des lunettes de soleil. La seconde, je passai la tête haute, prête à affronter tous les regards et tous les coups du destin. A la maison, Simba m'accueillait par des démonstrations de joie. Il bondissait et tentait de se tenir debout sur ses pattes arrière comme s'il voulait me lécher la face. Les filles ne soupçonnaient rien. C'était moi qui leur disais que j'avais dû, une fois encore, rentrer à une heure du matin la veille, tantôt à cause des dernières réunions avec le protocole, tantôt à cause d'un matanga.

Au bas de la passerelle de l'avion, Chief Olayodé et le haut fonctionnaire se donnèrent l'accolade.

– Mon frère ! Bon voyage, mon frère.

– Si vous venez à Lagos, sachez que vous avez un ami pour vous accueillir. Même en transit, vous serez mon invité.

Je lui tendis la main. Il la serra. Fortement. Nous tenions nos bras bien raides pour nous aider mutuellement à conserver en public la distance convenable. Joignant brusquement les talons, il se plia et me baisa la main. Mes compatriotes sourirent. Il revint, me prit par l'épaule, m'attira à côté de lui, comme s'il voulait que l'on nous photographiât ensemble, et s'adressa au haut fonctionnaire.

– Vous avez là une excellente interprète, mon frère. Il faudra l'aider.

Comme il avait parlé trop vite, le haut fonctionnaire eut recours à mon aide.

– Il vous dit que son séjour a été inoubliable. Il regrette de ne vous avoir connu qu'aujourd'hui et vous invite à visiter le Nigeria.

Le secrétaire de Yinka, le visage sévère, eut un léger mouvement sec de la tête et du buste dans ma direction. Le reste de la délégation avançait déjà, les bras chargés, vers l'arrière de l'avion pour emprunter l'entrée de la classe touriste. L'un d'eux se retourna et je voulus lui faire un signe de la main mais mon bras pesait trop.

L'hôtesse qui les avait accompagnés dans la cabine redescendit et l'on ôta la passerelle. Le soleil avait dissous les nuages. Sur la colline, du côté de la Case-Barnier, des toits de tôle scintillaient faiblement. On aurait dit que la saison des pluies était en avance. La nuit de notre retour de Pointe-Noire, il était tombé une espèce de crachin. En s'en apercevant, le matin suivant, Yinka, qui n'avait pas oublié ma description de la saison sèche, me taquina.

Non, il ne reviendrait pas. Je le savais, je le sentais. Quand l'avion pivota pour se diriger vers la piste d'envol, j'ai sorti mon mouchoir pour m'essuyer le nez.

– C'est une des dernières Caravelle, a dit quelqu'un à côté de moi, bientôt il n'y aura plus que des DC 8 sur la ligne.

– Sur la côtière ?

– Qu'est-ce-que tu crois ? Le monde ne cesse d'avancer. Y a que nos pays... Et puis, avec tous les bénéfices qu'ils font...

L'avion roula devant nous et le grondement des réacteurs interrompit l'amorce d'un débat sur la rentabilité d'Air Afrique. Levant le nez, se cabrant, l'engin abandonna le sol d'abord difficilement puis, délesté, monta en chandelle vers le troupeau de nuages qui recouvrait le ciel. Nous agitâmes nos mains et tournâmes le dos à la piste. On entendit encore les réacteurs rugir ainsi qu'un orage qui passerait au loin puis ce fut le silence semblable à celui qui marque la fin d'un concert. Nous demeurâmes un moment sans savoir quoi dire et je ne sais plus qui philosopha sur l'éphémère des choses.

A la sortie du salon d'honneur, Félicité me prit la main et la garda dans la sienne. Je ne l'avais même pas aperçue. Elle aussi était venue accompagner les Camerounais. Elle lança quelques plaisanteries mais c'était pour se donner une contenance. Nous montâmes dans une voiture du protocole. Pas celle qui accompagnait les Nigérians. Je n'aurais pas pu le supporter.

Nous passâmes chez moi où je libérai le chauffeur. Couché en arc de cercle devant la baie vitrée de la véranda, Simba paraissait assommé. Il n'avait pas aboyé. Sa masse dessinait la même tache sombre que celle qui m'avait effrayée à mon réveil l'autre matin à Pointe-Noire lorsque j'avais aperçu mon pagne sur la descente de lit.

Avant de raccompagner Félicité chez elle, je l'invitai à prendre un verre. Malgré l'heure, elle avait envie de bière. Une Heineken « cravatée », bien frappée, précisa-t-elle. Je n'avais pas fait de provisions depuis plusieurs jours et mon frigidaire était vide. Elle dut se contenter d'une Primus.

Un avion a survolé le quartier et Félicité a regardé sa montre.

– C'est l'avion du Nord. Il est en retard. Paraît qu'il y avait une évacuation sanitaire.

Elle posa aux filles des questions sur leurs études, commenta les derniers résultats du brevet et fit quelques réflexions désespérées sur l'état de l'enseignement.

– Avec leur méthode globale-là, les enfants ne savent plus lire... Quant à leur bain sonore !... T'entends pas le matin, à la radio ? Débile, complètement *dzoba*, je te dis... Les Mindélés viennent essayer leurs méthodes sur nos gosses.

Elle regretta *Mamadou et Bineta* et me demanda mon opinion. Je n'avais pas le cœur à argumenter. J'aurais voulu être riche et libre pour partir loin, très loin, et oublier. Oublier, puisqu'il ne reviendrait pas.

– Et vous les filles-là, qu'est-ce que vous voulez faire plus tard ?... Faut savoir, poursuivit-elle sur un ton insistant... Moi, si on m'avait offert le chemin par où vous avez pu passer...

Félicité avala une longue gorgée de bière, se lécha la lèvre pour essuyer la mousse et se déchaussa en étirant ses deux jambes dessous la table basse du salon. Elle fit remuer ses orteils nus. Je bus à mon tour et me rendis compte qu'un reste d'odeur de Yinka flottait encore sur ma peau.

– Par exemple toi-là, c'est Blandine, hein ?... Blandine, qu'est-ce que tu voudrais faire après ton bac ?

188

– Le bac ? Ah ! Faut d'abord que je le passe, tantine.

– Et alors ? Qu'est-ce qui m'a fichu cette âme d'esclave ? Ma fille, faut te dire : « Je le passerai ! »

Elle eut un mouvement décidé du poing avant de continuer.

– Qu'est-ce que ça a de sorcier le bac ? Quand je songe à tous les couillons qui ont réussi dans ce pays à l'empocher, je ne vois pas pourquoi une fille ne pourrait pas le passer... Eh, toi-là ! Faut pas baisser les bras comme ça. De toute façon, faut savoir ce qu'on veut faire dans la vie. Ça motive.

– Moi, je veux aller continuer en France.

– En France, en France !... Attention ! Quelquefois ça pourrit, oh... Regarde tous nos hommes politiques-là... Et puis (un sourire complice), la France c'est pour le plaisir, pas pour les études.

Félicité avala une autre gorgée de bière en fermant les yeux.

– Continuer quoi ? Faut déjà avoir une idée claire de ce que tu veux faire.

Et elle conseilla à la petite de devenir avocate. D'abord parce que ça rapportait.

– Ensuite, tu n'auras pas à dépendre des hommes. Parce qu'avec nos nègres-là... Et puis surtout parce que tu pourras défendre les femmes...

Et elle éclata de rire en me présentant sa main pour que nous topions.

En sortant, nous enjambâmes Simba toujours vautré sur la véranda. Je donnai deux tapes affectueuses sur le cou de l'animal. Il releva son museau, me regarda avec tristesse, puis laissa retomber sa tête entre ses pattes.

– J'espère qu'il n'est pas malade.

– Wapi ! a crié Blandine. Hier encore, il a disparu jusqu'à onze heures. C'est sa période de chaleurs oui. Il reprend des forces. Cette nuit, tu vas voire ça, tantine. Il va encore fuir.

— Il pense à sa chérie, ko ! lança Félicité avant de partir dans un grand éclat de rire, traînant les pieds et dandinant la croupe comme si elle venait d'entendre les premières notes d'un méringué.

Un appel téléphonique d'Anicet me réveilla la nuit qui suivit le départ de Yinka. Mon mari ne comprenait pas. Depuis plus d'une semaine, il avait vainement tenté de me joindre. Je lui expliquai que les premières pluies avaient fait leur apparition plus tôt que prévu et que de violents orages avaient endommagé les lignes téléphoniques dans notre quartier.

Simba disparut plusieurs jours et rentra avec une vilaine blessure. La nuit, il hurlait à la mort et je crus le perdre.

A la même époque, la radio annonça la découverte d'un complot et les autorités imposèrent le couvre-feu. Parmi les noms des conjurés, j'entendis celui de Côme, le mari de Félicité. Chaque jour, je passais chez elle pour la soutenir, l'aider à affronter mille mesquineries et soulager la quarantaine qui s'était insensiblement installée autour d'elle. Elle avait dû déménager et se replier dans une vieille case familiale de Makélékélé. Félicité faisait face aux épreuves et aux hommes de la sûreté avec courage et superbe. Chaque midi, invariablement, elle se rendait au commissariat de police apporter le repas de son époux et, quand les gardiens tentaient des intimidations, elle n'hésitait pas à les apostropher avec le ton et la voix d'un commandant.

On présenta les comploteurs à la télévision. Je crus reconnaître les hommes aperçus chez Félicité, un soir. Le ministre de l'Information affirma qu'ils étaient la tête de

pont d'une machination chargée de préparer le lit de merce-
naires basés de l'autre côté du fleuve. Il parla de « cin-
quième colonne ».

La saison des pluies débuta effectivement plus tôt que
d'habitude et ma mère disait que cela avait à voir avec ces
hommes qu'on envoyait dans l'espace. Gens dangereux !
Surtout les Russes-là qui s'étaient installés dans l'ancien
domaine Tréchot d'où ils commandaient à leurs hommes
qui proliféraient dans le pays. Dès qu'elle en reconnaissait
dans la ville, elle changeait de trottoir. Ce n'était pas ses
Blancs à elle. Savaient même pas parler le français ceux-ci.

Dans mes toiles de cette période, on dénombre bien quelques silhouettes de femmes mais ce sont les personnages
masculins qui dominent. Des hommes aux visages mûrs,
aux corps de discoboles qui se seraient immergés dans la
boue. Quand, plus tard, il les découvrira, Anicet me lan-
cera une mise en garde. Il n'accepterait pas que son épouse
se permît d'exposer de telles cochonneries, des corps
d'hommes nus, qui n'étaient visiblement pas celui de son
mari. Je devais me souvenir qu'il n'était pas n'importe qui,
lui ; que j'étais, par voie de conséquence, une dame, moi,
pas n'importe laquelle, et que j'avais un rang à tenir. Il alla
jusqu'à user du vocabulaire du journal du parti pour quali-
fier mes tableaux : l'illustration de fantasmes de nympho-
manes, dignes des petites bourgeoises de l'Europe déca-
dente. Nous, en Afrique... Et il embouchait sa trompette.

C'est aussi l'époque où se situent mes premières
recherches formelles. En fait, elles se limitent à quelques
toiles où reviennent souvent des lignes en losanges effilés.
Des volumes surgis de l'argile ou du bois. Ils font penser à
des dessins d'enfant à peine stylisés. En examinant ces êtres
étranges qui pourraient être des mascottes, on croit
reconstituer l'étreinte de deux êtres dont on ne distingue
que des bras noueux et des mains épaisses tous traités à la
manière de fresques égyptiennes. Le dessin et les corps mas-

SUR L'AUTRE RIVE

sifs de ces couples siamois pourraient passer pour des rémi-
niscences de sculptures de Henry Moore. A l'époque pourtant, je n'avais rien vu de lui. Leurs visages atrophiés,
rappel de ceux des statuettes d'ancêtres bakotas, sont sou-
lignés par des lèvres charnues. Un point indique l'œil. Un
seul pour cette pâte unique.

La veille de ma traversée du fleuve, j'ai fait un feu de
toute cette collection sur la route du Nord, entre la forêt
d'eucalyptus et la rivière Ndjiri.

Deux mois après le départ de Yinka, il n'y aura personne pour m'accueillir sur l'aérodrome de Libreville. Ce sera mon premier voyage au Gabon. Quelques années avant celui que j'effectuerai avec Anicet et dont j'ai déjà parlé.

Yinka m'avait fait parvenir un message bref, que la combinaison de l'anglais et du style télégraphique rendait encore plus sibyllin. Il me demandait de le rejoindre à Libreville, à l'hôtel du Roi Denis, et m'indiquait qu'un billet suivrait le télégramme.

Je ne disposais que de trois jours pour organiser mon départ. Le plus dur était de trouver un alibi cohérent. En fait, deux. L'un pour le lycée, l'autre pour les nièces, Germaine et Blandine. Je pris le temps de les forger et, devant mon embarras, me résolus à recourir au savoir-faire et à l'imagination de Félicité. Malgré l'intimité de notre amitié, je ne souhaitais pas lui révéler mon secret. Je parlai à demi-mot. Elle poussa un cri d'émotion, leva les yeux au ciel et croisa ses mains, comme si elle assistait à un prodige. Elle me prit dans ses bras, me couvrit de baisers et déclara qu'elle était fière de moi : j'étais une femme, une sœur, une vraie.

– Au proviseur, tu expliques que tu as perdu un parent au Gabon et que tu dois te rendre à son matanga. Sans donner plus de détail. Qui oserait s'opposer à la volonté de celle qui veut accomplir les obligations du deuil ? (Elle poursuivit d'une voix plus grave :) Quant à tes filles, tu leur dis seulement que tu as un congrès là-bas.

Et elle ajouta avec le visage d'un commandant donnant son ordre.

– Un point, un trait !

C'était en fin d'après-midi, sur sa véranda. Félicité s'éventait avec un vieux magazine. Il avait fait une chaleur de four durant toute la journée et des nuages se regroupaient, bâtissant un lourd massif noir au-dessus du Djoué. Nous déplaçâmes deux chaises longues sur la pelouse. Au milieu du tapis de passepalum, elle avait planté un palmier du voyageur. Dans le fond du jardin, il y avait une haie verte d'hibiscus que piquetaient le rouge et le rosé des fleurs. Quand nous étions gosses, nous en mangions les étamines.

– On dirait que ça ne te convient pas.

– Pour la conférence ça va, mais le deuil...

– Le deuil, quoi ?...

Je ne savais comment m'exprimer. Elle me scruta de ses yeux malicieux et moqueurs.

– Tu as peur que ça te... (Elle baissa encore la voix et posa sa main sur mon épaule.) Tu as peur que ça vous porte malheur ?

Je hochai timidement la tête. Félicité prit ma main dans la sienne, la posa sur sa cuisse et chuchota. Une rangée de bougainvillées, couronnées de fleurs grenadine, limitait le jardin sur la droite et sur la gauche.

– Non, dit-elle en arborant un sourire dont le sens était différent du précédent et en fermant les yeux, Non, n'aie aucune crainte. Dieu te comprendra. Et Lui est plus puissant que tous les sorciers. Quand on aime, c'est parce qu'Il nous a choisies. On devient Son prophète. Ce n'est par pour commettre un crime que tu en es réduite au mensonge. D'ailleurs, qui parle de mensonge ? En fait, tu arranges la vérité. C'est pour aller faire du bien que tu vas t'absenter.

Ai-je vraiment fait du bien ? Je sais que, malgré la suite, j'ai connu des jours de plaisir, et même de bonheur, immenses.

Deux semaines au goût de mangue juteuse, tous deux enfermés dans les boiseries de l'hôtel du Roi Denis, un ensemble de pavillons à deux niveaux, au bord de la mer, dont nous percevions, la nuit, le bruit des vagues qui venaient battre contre la digue.

Lorsque, quelques années plus tard, Anicet et moi arriverons à Libreville, chez les Obiang, je rechercherai discrètement les lieux où je me dissimulais durant ma fugue. Mais alors, tout aura disparu. Clarisse m'expliquera que la ville avait été bouleversée et rajeunie pour accueillir le sommet de l'OUA.

Quand j'avais appelé Yinka par le téléphone interne de l'hôtel, il m'avait accueilli par un « hello ! » joyeux. Son cri de victoire sonna spontanément comme celui d'un enfant qui vient de marquer un but. Je le vois encore descendre l'escalier, quatre à quatre, dans son boubou majestueux et murmurer, en me serrant dans ses bras de boxeur : « *Oh, my romance, my romance !* » Je n'avais toujours pas cherché le sens exact du mot dans mon dictionnaire.

Cette fois-là, Yinka avait réussi à se déplacer sans son secrétaire.

La première semaine, je vécus en recluse. Il partait le matin et je restais paresser longtemps dans les draps parfumés de l'odeur de nos corps. Je sortais de la chambre seulement pour laisser les femmes faire le ménage. Le *Roi Denis* ne possédait pas de salon. Simplement deux fauteuils dans un espace étroit, en face du comptoir de la réception. Je préférais m'asseoir à une table blanche de jardin, à l'ombre d'un filao, entre la piscine et des rochers qui faisaient un rempart contre la mer. Je n'y demeurais jamais plus d'une heure car, bien que je prisse soin d'avoir toujours quelque chose à lire, la vue d'une femme seule devant un verre réveillait les instincts prédateurs des hommes de passage. Il n'y a pas sur ce point de différences entre les Noirs et les Blancs. Indifféremment courtois, empruntés, ou au contraire sûrs d'eux, grossiers voire fats, ils se débarrassaient de leurs personnages conventionnels pour redevenir des mâles en rut. Ils s'imaginaient voir poindre l'aventure de leur voyage et laissaient libre cours à leurs fantasmes.

Au début, je feignais de les ignorer, mais, à la longue, ces assauts devenaient insupportables et il me fallait plier bagage et me réfugier dans ma chambre. J'avais emporté quelques Chinua Achebe pour avancer dans le travail de ma thèse. Je prenais à l'occasion des notes pour des questions que je posais le soir à Yinka. Quand venait la saturation, je sortais mes inséparables carnets de croquis et, de mémoire, je refaisais des esquisses du visage de Yinka, sous différents angles, en y ajoutant quelquefois les tatouages des bronzes du Bénin et d'Ifé. Tout cela doit exister quelque part dans un débarras chez Anicet. Ces carnets font partie des lots que je n'ai pas eu le temps de détruire. A moins qu'Anicet lui-même les ait brûlés avec tout ce qui risquait de perpétuer mon souvenir. Au bout de quelques heures, la climatisation glaçait la pièce. Quand je l'arrêtais, le silence me soulageait, mais bientôt la chambre était envahie par une odeur de moquette et de moisi.

Il m'arriva de courir le risque de sortir de l'hôtel. Je prenais alors soin de me dissimuler derrière de grosses lunettes de soleil. Je poussais jusqu'à la librairie du centre-ville, dont je n'ai au demeurant pas retenu le nom – était-ce Hachette ou *La Maison de la presse*? –, juste le temps de parcourir les titres des ouvrages et de me procurer les journaux et les magazines de Paris. Quand je me sentais observée avec un peu trop d'insistance, soit par les yeux vigilants d'une commère identifiant un visage inhabituel dans sa communauté, soit par ceux d'un homme entreprenant, la tanière.

peur me gagnait, et je m'enfuyais comme une évadée en cavale dont la tête aurait été mise à prix.

Yinka eut quelques repas libres dans un emploi du temps chargé. Nous nous faisions alors porter le déjeuner dans la chambre : des viandes froides, des salades et un vin, qu'il me laissait choisir parce que c'était là la spécialité de « nous, les Français ». En écoutant ma traduction du menu, Yinka fermait les yeux d'horreur et affirmait que c'était encore pire qu'à Brazzaville. Même pas l'ombre d'une salade du pays ! Dès que le serveur sortait, Yinka accrochait, sur la poignée extérieure de la porte, le carton *Please, don't disturb* et nous pique-niquions dans le lit.

Il murmurait que ma peau exhalait des odeurs de plantes dont je n'aurais pas su traduire les noms en français. Son corps avait la fermeté d'un fruit mûr, et mes mains resculptaient les muscles de son corps, en en célébrant la gloire. Nous nous enduisions de sueur et je me confessais tout haut, sans restriction ni pudeur car le ronron du climatiseur couvrait ma voix.

Quand nous remontions de notre sieste, Yinka grognait un peu et sa main recommençait à caresser mes seins, mon ventre, mes cuisses. Je lui chuchotais dans l'oreille de ne pas oublier l'heure. Il répondait par une plaisanterie sur les Africains et le sens du temps, ajoutant que c'était un péché que de consulter sa montre lors des cérémonies sacrées et il me refaisait l'amour.

A part la réception du président de l'assemblée où il resta juste le temps de se faire reconnaître, il évita tous les cocktails. Nous attendions le soir pour sortir de notre tanière. C'était l'heure des alizés. On les sentait rafraîchir et tonifier la peau. Un disque de métal en fusion descendait dans les flots et l'on avait envie de s'asseoir pour regarder ce miracle qui fascine même celui qui n'a pas appris à lire. Je me blottissais contre Yinka et me demandais quel était le sens de ce prodige. Les cocotiers de la plage sortaient de leur torpeur et, d'un geste lymphatique et dédaigneux, remuaient leurs longs bras d'adolescents, grandis trop vite, pour s'éventer un peu.

Nous dînions dans les restaurants que le chauffeur nous conseillait. Je mettais les pagnes qu'il m'avait rapportés en cadeau et nouais mon foulard à la manière yorouba, en reconstituant la coiffe des Dahoméennes de Poto-Poto. Malgré la honte que j'en éprouvais, je ne me séparais pas, même la nuit, de mes grosses lunettes de soleil. Il m'appelait alors Lady GG, faisant bien sûr référence à Greta Garbo.

Je ne me souviens pas du détail de nos conversations. Mais il m'arrive, quand je m'exprime aujourd'hui encore, de reprendre sa manière de raisonner, quelquefois une de ses idées, voire une de ses phrases, sans bien sûr jamais le citer. Longtemps il est resté en moi, et quand je reconnaissais sa voix dans la mienne, ma plaie se rouvrait encore. On ne sait jamais bien le moment précis où les souvenirs s'effacent ou se fossilisent en nous ni celui où l'on s'approprie la pensée d'êtres chers. Chaque fois, nous avions quelque chose à nous dire et c'était pour, chaque fois, découvrir une nouvelle coïncidence. Il arrivait qu'il devînt un maître. En m'enseignant le monde yorouba, il me faisait toucher mon ignorance de ma propre communauté. J'écoutais, prenais silencieusement des résolutions, et quelquefois, pour donner le change, bluffais sur ma réelle connaissance du monde bantou.

Un soir, dans un restaurant discret, nous avons été surpris par des délégués. Des francophones. L'un d'eux tenait à faire étalage de ses connaissances en anglais. Fat et fier de lui-même, il alignait avec peine des mots approximatifs. Yinka me présenta comme sa femme. Nous n'avons pas pris de dessert et avons filé à l'anglaise.

Yinka resta encore à Libreville quelques jours après la conférence, pour se consacrer à moi, à nous. Au total, cette lune de miel dura deux semaines, je crois, peut-être un peu moins. Tout s'y déroula comme j'avais, sept ans auparavant, rêvé que se passât mon voyage de noces officiel.

J'ai quitté Libreville la première, à cause des horaires d'avion. Lui dut attendre encore deux jours. Le matin de mon départ, il parla de monter dans le même vol que moi, disant que, de Brazzaville, il trouverait bien une correspondance pour Lagos. Sinon, il passerait par Léopoldville...

Moi à qui le travail fait habituellement tout négliger, tout oublier, j'ai souffert comme une bête blessée, à mon retour à Brazzaville. Déjà, à cette époque, j'avais songé à m'enfuir pour aborder d'autres rives et me métamorphoser en une autre. Je bâclais la préparation de mes cours, surchargeais mes élèves d'interrogations écrites dont je laissais traîner les corrections. Mes toiles de cette époque sont pour la plupart des représentations abstraites, comme si je cherchais alors à fixer sur la matière le désordre qui prévalait dans ma tête et dans ma poitrine. Les rouges incandescents du feu, les bruns opaques de la terre font penser à un univers en proie à des explosions volcaniques, au déferlement cataclysmique des éléments primordiaux. Parfois s'infiltrent les coulées blanchâtres de l'eau et les bleus d'un espace ensoleillé.

Au début, nous avons échangé une correspondance régulière. Les lettres de Yinka étaient belles, intraduisibles en français. Son écriture ajoutait à mon admiration.

Je me faisais bien sûr adresser ce courrier au lycée, où je disposais d'un tiroir qui me permettait de le conserver sous clé. Quand Anicet revint de son stage aux États-Unis, je détruisis ces lettres, la mort dans l'âme. Elles étaient arrivées, durant près d'une année, au rythme d'une par semaine. Elles m'étaient distribuées le lendemain de l'arrivée de la côtière qui vient de Dakar et fait escale à Lagos.

Puis, brusquement, un silence angoissant et douloureux qui dura de longues semaines. Moi, je multipliais des lettres d'interrogation. J'ai même tenté de téléphoner. A l'époque, c'était la croix et la bannière pour joindre le Nigeria depuis Brazzaville. Je repensai alors à ce premier dîner, à l'*Olympic Palace,* avec toute la délégation nigériane. L'un d'entre eux avait lancé des sarcasmes sur les difficultés de communication d'un point à l'autre de l'Afrique, sans passer par les anciennes métropoles. Et ce bref souvenir suffisait pour m'entraîner sur un nouveau courant de nostalgie.

En reprenant sa correspondance, Yinka, après des excuses rapides, m'expliqua qu'il avait beaucoup voyagé, à l'intérieur aussi bien qu'à l'extérieur du pays. Il semblait tirer gloire de cette vie. C'était bon de l'entendre me parler de nouveau, mais m'avait-il lue ? Sa lettre ne répondait pas à toutes les questions que je lui avais posées dans les miennes. Son message était concis et surchargé de nombreuses ratures.

Notre correspondance s'est espacée. Le temps aidant, je sus où trouver des ressources pour me ressaisir et je me retins d'envoyer ces pages de lamentations où je m'agenouillais trop. Mes silences ont paru lui convenir et des blancs de plus en plus larges se sont intercalés entre nos répliques. D'une saison à l'autre, le vent m'apportait des missives de plus en plus brèves, puis des cartes postales, souvent relevées d'humour, quelquefois aux formules plus conventionnelles, mais se terminant toujours par des mots affectueux. Je revenais sur chaque phrase, tentant de décrypter le non-dit entre les lignes, tentant d'évaluer la charge et le poids réel de l'émotion sincère entre les lettres. Mes faibles talents d'interprète m'aidaient peu, et j'en vins à me lasser d'un jeu qui n'était, au bout du compte, qu'un exercice de devinettes alimentées par mes illusions. Sans amertume, je décidai de me détacher des souvenirs de cette *romance,* et retrouvai le rythme de ma respiration.

période de tensions / période productive.

Mes tableaux virèrent vers un réalisme plus marqué que ceux de l'époque précédente. De nombreux visages de femmes mûres, songeuses, des scènes de vie paysanne. Le traitement des arbres, des fleurs et des oiseaux faisaient l'objet d'un soin particulier, comme si le peintre découvrait le monde avec les yeux de l'innocence.

Ce fut une période productive.

Elle coïncidait avec la présence à Brazzaville d'un représentant d'Elf qui prit l'initiative d'engager des actions de mécénat. Ainsi patronna-t-il ma première exposition, aux *Relais aériens*. Elle occasionna une dispute avec Anicet. Toujours les mêmes arguments de sa part : mes nus étaient immoraux et les toiles abstraites pouvaient être interprétées comme la marque d'un esprit décadent et bourgeois, au moment précis où lui cherchait à se faire admettre dans le parti unique « prolétarien ». Je signais à cette époque mes toiles de deux initiales : M. A. Un article, alors peu remarqué, paru dans la revue *Bingo*, tente de donner une explication symbolique à chaque élément de la nature dans mes toiles. J'ai souri en le lisant.

C'était vers la fin de 1976.

Quelques mois plus tard, je fus convoquée au cabinet du ministre de la Culture où l'on me signifiait que j'avais été choisie, avec quelques autres peintres plus connus, pour participer au festival panafricain de Lagos.

Lagos ? Au Nigeria ?

J'accueillis la nouvelle avec un visage impassible. Je ne savais s'il fallait m'en réjouir ou prendre la décision de laisser mes toiles voyager seules. Je n'étais pas en mesure de lire en moi.

Contrairement à mon habitude, je me suis laissé prendre en selle par le destin, moi qui ne croyais pas en lui. Pour Anicet, ce voyage constituait une trahison et il envisagea de saisir le conseil de famille.

Nous arrivâmes à Lagos vers onze heures du soir. Le désordre et le bruit dans l'aéroport me rappelaient le marché de Moungali, aux heures d'affluence. Malgré un service d'accueil, spécialement prévu pour les délégations étrangères, nous avons passé plusieurs heures à attendre en raison, nous disait-on, des formalités d'entrée et de certaines difficultés à récupérer nos bagages. J'avais surtout peur pour mes tableaux. Un jeune acteur de notre troupe de théâtre s'est mis en quatre pour moi et m'a rassurée : mes valises et les caisses de toiles avaient été identifiées. Je me souvenais l'avoir vu jouer, avec Patrice Nzonzi, dans *L'Exception et la Règle* et aussi, me rappela-t-il, dans une pièce de Sylvain Mbemba dont j'oublie brusquement le nom.

J'essayai en vain d'apercevoir la ville à travers les vitres de l'autocar. Je me suis endormie et nous avons dû arriver à l'hôtel vers les trois heures du matin.

Le lendemain, très tôt, j'appelai Yinka à son bureau. Un numéro qu'il m'avait donné lors de notre lune de miel à Libreville. A l'époque, je l'avais noté sans trop y croire. Quelle occasion aurais-je pu avoir de me rendre au Nigeria, moi ? Je n'appartenais pas à la classe de ceux qui, une semaine après l'autre, parcourent le monde aux frais de l'État, pour des conférences ou des missions dont l'objectif demeurera toujours secret.

Huit ans s'étaient écoulés. Huit ans pendant lesquels je n'avais cessé d'espérer.

Ce fut d'abord une voix d'homme qui me répondit. Elle s'exprimait plus en pidgin qu'en anglais et je dus me répéter plusieurs fois, épelant presque l'orthographe, non seulement de Yinka mais aussi de certains mots que mon interlocuteur avait du mal à comprendre. Je perdis un instant confiance en mon anglais. Ensuite, on me passa une secrétaire bien élevée, prévenante, patiente, à l'accent proche de celui de Cambridge et à la voix d'hôtesse d'aéroport. Je voulais savoir si Chief Olayodé répondait encore à ce numéro. En un tour de main savant et délicat, elle inversa les rôles. C'est elle qui interrogeait et moi qui devais répondre. Elle voulait connaître mon identité, savoir pourquoi cette insistance à vouloir parler à Chief Olayodé en personne, et si j'étais vraiment sûre qu'elle-même ne pourrait pas m'aider. Un véritable interrogatoire, d'une courtoisie irréprochable, mais où j'étais scrupuleusement fouillée, épluchée, reniflée.

– C'est personnel, mademoiselle.

– Chief Olayodé est en conférence.

– Jusqu'à quand pensez-vous qu'il sera pris ?

– Impossible de savoir, madame.

– Je comprends. Mais pourriez-vous m'indiquer au moins à quel moment il pourrait être en mesure de me rappeler ? Le matin ou l'après-midi ?

– Honnêtement, je ne peux pas, madame. Pourriez-vous me laisser un numéro ?

– Bien sûr, mais il est pratiquement impossible de m'y joindre aux heures ouvrables.

– Qu'à cela ne tienne. Il pourra vous laisser un message.

Comment expliquer à ce cerbère que c'était sa voix, à lui, que je voulais entendre ?

– Vous comprenez, expliquait-elle encore, avec une prévenance et une patience qui m'agaçaient, après sa conférence, Chief Olayodé a une série de rendez-vous, dont quelques-uns à l'extérieur.

Quand elle m'a demandé mon nom, je me suis inventé une identité.

– Romance Kongo.

Malgré son flegme et sa politesse, j'ai perçu une touche d'étonnement dans sa voix quand elle m'a fait répéter et épeler.

– C'est tout ?

Yinka et moi n'avions jamais convenu d'un nom de code pour semblables circonstances mais j'étais convaincue qu'il comprendrait.

Je donnai également à la secrétaire l'adresse et le numéro de téléphone de l'hôtel, ainsi que le numéro de ma chambre.

– S'il vous plaît, mademoiselle...

– Madame.

– Pardon, madame. N'oubliez pas, s'il vous plaît.

– Je n'oublierai pas. Je vous le promets.

Après que je l'ai remerciée, juste au moment où j'allais raccrocher, elle est revenue à la charge.

– Je suis désolée, mais encore une question, madame... Je suis vraiment désolée de sembler procéder à un interrogatoire mais...

– A votre place, je procéderai de même.

Ce n'était pas une simple formule. Moi aussi, à mon modeste niveau, je me protège contre les agressions téléphoniques. Surtout quand les esprits de la peinture s'emparent de moi.

– Pourriez-vous... Juste au cas où... Pouvez-vous au moins me fournir un point de repère ?

Je lui rappelai les coordonnées que je lui avais déjà indiquées.

– Bien sûr, madame. Ça a été bien noté... Mais vous savez, Chief Olayodé rencontre beaucoup de gens... Il a une excellente mémoire mais, hors contexte, il arrive qu'un nom, voire un visage, tout en lui évoquant quelque chose, ne soit pas suffisant, pour... comment dire ?... pour les replacer... Oh, c'est bien sûr très rare !... Très rare !... Parce que Chief...

– Non, aucun point de repère précis.

Et j'ai raccroché.

Je ne pouvais pas me cloîtrer toute la journée à l'hôtel. Un autocar, mis à la disposition de la délégation, partait dans quelques minutes, et je n'aurais jamais su me rendre toute seule au parc du festival. Il fallait plus d'une heure de trajet et je ne comprenais rien à la géographie de Lagos. Un vrai fouillis où les bidonvilles et les gratte-ciel s'interpénétraient. Les jours suivants, au cours des repas, des anecdotes circulèrent dans la délégation. Un gang s'était fait embaucher comme chauffeurs de bus et, sitôt le volant en main, ses membres avaient disparu. Vers la frontière béninoise, assuraient les plus savants, là où les véhicules étaient repeints et revendus. Les chauffeurs des chefs de délégation, ajoutait-on encore, étaient flanqués de militaires armés de fusils automatiques, pour prévenir d'autres coups de la même farine. Tel était effectivement le cas de celui de notre ministre. Sans doute y avait-il un peu d'exagération dans tout cela, mais nous ne demandions qu'à croire tout ce qui courait de bouche à oreille, repris par une autre bouche, d'une délégation à l'autre, revenant même quelquefois à la source tellement transformé qu'on avait peine à découvrir qu'il s'agissait de la même information. Nous ne demandions qu'à croire, tant nous avions été impressionnés par la violence dans les tribunes à l'ouverture officielle du festival. Il y eut plusieurs morts que nous vîmes emporter sur des civières, sans que la foule n'en ressentît la moindre émotion.

Je passai la première journée de notre séjour à identifier les caisses où se trouvaient mes toiles et à les accrocher dans l'espace qui nous avait été désigné. Il y eut encore de nombreuses palabres avant qu'on ne s'accordât sur l'emplacement qui nous revenait. Quand j'ai su le numéro de téléphone de notre poste, j'ai appelé l'hôtel. Aucun message à la réception pour moi.

La journée fut écrasante. Une chaleur humide qui rendait la peau poisseuse. Mon pagne me collait. Je portais souvent ma main à la narine, cherchant à y respirer un reste du parfum de mon eau de toilette pour chasser la forte odeur de musc des ouvriers ouvrant les caisses. J'étais mécontente de l'éclairage de mes tableaux. Quand notre ministre est passé se rendre compte de l'état de notre stand, il est convenu du bien-fondé de toutes nos doléances mais a dit qu'il n'y pouvait rien. Tout le monde était logé à la même enseigne. Impossible, ajoutait-il, de mettre la main sur l'autorité de qui dépendait la décision pour faire bouger tout ça.

– Chacun se renvoie la balle, finit-il par lâcher d'un ton excédé.

Le conseiller qui l'accompagnait a dit quelque chose d'anecdotique pour ajouter de l'eau au moulin, puis le directeur de la Culture a fait un commentaire pour se mettre en valeur.

Le soir, à l'hôtel, un message de Yinka m'invitait à le rappeler, dès que possible, au bureau, aux heures de travail.

En me précipitant dans l'ascenseur, j'ai failli me tordre la cheville. J'ai pris une bonne douche en laissant la porte de la salle de bains grande ouverte pour le cas où le téléphone sonnerait. Je me suis parfumée et j'ai voulu mettre un des plus beaux pagnes que j'avais emportés. Juste au cas où...

S'il prenait à Yinka l'envie de me faire une surprise !...

Mais je me suis ressaisie. Le fait d'être déjà prête n'allait-il pas me porter la guigne ? Il valait mieux se comporter comme s'il ne viendrait pas. Je me suis immédiatement déshabillée et j'ai enfilé un tee-shirt qu'on nous avait distribué en arrivant. Il portait sur la poitrine la carte de l'Afrique entremêlée à l'emblème du festival. Au moment de descendre dîner, je fus saisie d'inquiétude. Et si Yinka m'appelait, justement pendant que je me trouverais au restaurant ? Je doutais que les services de l'hôtel fussent en mesure de me localiser. J'ai changé d'avis et commandé un club sandwich au room-service et me suis juste enroulée un pagne sous les aisselles. J'ai senti le trouble dans le regard et la respiration du garçon d'étage lorsqu'il m'a apporté la commande et qu'il m'a aperçue dans cette tenue.

Harassée, je me suis étendue pour lire les journaux et les magazines que j'avais achetés dans la journée. Le téléphone a retenti mais c'était le jeune acteur de la troupe qui s'inquiétait de ne pas me voir au restaurant. J'ai prétexté un léger malaise et il a voulu monter pour le cas où j'aurais besoin d'assistance. Il a fallu le remercier et le rassurer gentiment. Nous avions voyagé côte à côte dans l'avion et, à la fin, je sentais qu'il évitait de s'éloigner de moi, trouvant toujours un prétexte pour m'aider à porter mon matériel, pour me protéger ou me faire part d'une impression. Il m'a donné le numéro de sa chambre et m'a demandé de ne pas hésiter à l'appeler si nécessaire, quelle que fût l'heure.

J'ai lu très tard et me suis endormie au-dessus des draps.

La liberté d'expression de la presse me surprit. J'eus le plaisir de tomber sur un éditorial de Chinua Achebe qui questionnait le gouvernement sur des aspects de sa politique. J'aurais aimé le rencontrer, car je terminais alors la rédaction d'une thèse sur son œuvre. J'avais pensé que, en raison de ses positions pendant la guerre du Biafra, il était resté en exil. Mais comment le rencontrer dans ce monde qu'est le Nigeria ? Au festival, sa présence n'avait jamais été mentionnée.

En parcourant les journaux, je prêtais une attention particulière aux annonces car elles offraient l'occasion de plonger dans la vie nigériane. Les familles d'Hadjs, de Sirs et de Chiefs qui publiaient leurs photos dans le journal pour annoncer la création d'une société, l'élection à la tête d'une association, faire part d'un jubilé, d'un mariage ou d'un deuil, devaient ressembler à celle de Yinka.

J'étais en Afrique mais dans une société différente de la mienne.

Je me suis réveillée dans la nuit, après m'être endormie au-dessus du couvre-lit, un journal déployé sur la poitrine. Le bouton rouge sur le téléphone, qui clignotait en cas de message, était désespérément éteint.

Le lendemain matin, le jeune acteur a rappelé car l'autobus n'attendait plus que moi pour se rendre au festival. Après beaucoup de difficultés, j'ai réussi à le rassurer sur ma santé et à le convaincre de partir sans moi.

— J'espère que ça ira mieux. Sinon je ferai chercher le docteur, que tu le veuilles ou non.

Je suis restée enfermée dans ma chambre pour tenter de joindre Yinka. Sa secrétaire m'a assurée qu'il avait été désolé de me manquer la veille. Elle promettait de rappeler dès qu'il serait de retour.

Je ne suis même pas sortie quand la femme de ménage s'est présentée. Il m'était impossible de me concentrer sur les livres que j'avais emportés. Je me suis mise à faire des croquis sur ce que j'apercevais de ma fenêtre. Un paysage sans vie ni âme, typique du désordre et de la saleté de Lagos, qui, au demeurant sur ce point, ressemble à toutes les autres capitales du continent. C'était plus à des exercices techniques que je me livrais avec mon fusain qu'à des esquisses en vue d'un travail ultérieur.

Finalement, Yinka a appelé vers onze heures.

Dès que j'ai entendu sa voix de basse, j'ai été saisie de trouble et je me suis mise à balbutier.

— Madeleine, toi ici ?

Je répondais par des mots brefs, sans imagination, comme une petite fille qu'on présente à un public. Il a parlé de son emploi du temps. De la démence ! Il se demandait jusqu'à quand il pourrait tenir à ce rythme. Je l'ai plaint et dit quelques formules plates d'admiration. Il parlait avec calme et assurance comme pour me mettre en confiance.

– Que fais-tu ce soir ?

Le programme du festival m'offrait l'embarras du choix, mais...

– Donc, je passe te voir à partir de sept, disons huit heures.

Il m'a fait répéter mon adresse et m'a indiqué que mon hôtel était récent. Il croyait toutefois en connaître le quartier.

Tout de suite après cette conversation, j'ai appelé le stand du Congo, au centre du festival, et pu m'entretenir avec le jeune acteur. Je savais que le bus ne reviendrait pas avant le soir. Chevalier servant, l'acteur est arrivé à l'hôtel, au milieu de l'après-midi, en compagnie d'un Nigérian qui lui servait de guide. Il avait pu obtenir une voiture libre pour venir me chercher.

Durant le trajet, nous commentions le Lagos que nous apercevions par les fenêtres du véhicule.

Notre voiture a brûlé un feu rouge et nous avons failli nous faire emboutir par un énorme camion. Le chauffeur a fait un signe de croix et a continué comme si de rien n'était. Je l'ai apostrophé du mieux que mon anglais me le permettait, et l'homme m'a rétorqué que, dans ce pays, les feux rouges n'avaient qu'une valeur indicative.

Le jeune acteur de la délégation a regretté mon absence la veille au dîner. Nicolas Guillén se trouvait dans la salle de restaurant. Il en était sûr, il l'avait reconnu, s'attablant en compagnie de sa femme, de l'ancien chargé d'affaires cubain au Congo et d'une autre personne. D'ailleurs, le ministre congolais s'était levé pour aller saluer le poète.

Il ajouta que, après le repas, ils étaient descendus dans la boîte de nuit de l'hôtel où ils s'étaient bien *réjouis le corps*, comme ont tendance à dire ceux qui traduisent, mot à mot, du lingala certaines expressions.

211

– Ambiance, ma chère !

Au parc du festival, la présentation de notre stand s'était améliorée. Il avait été nettoyé, une moquette couleur gazon avait été posée et quelques appliques nous avaient été fournies. J'ai déplacé mes tableaux, pour que la lumière puisse avantager mon préféré. Un journaliste local s'est longtemps attardé devant eux et a eu un entretien avec moi sur les rôle et place respectifs de la tradition et du modernisme dans ma peinture. J'ai répondu que je peignais sans penser à tout cela, sans philosopher, que je n'étais pas une intellectuelle. J'ai dû accepter deux rendez-vous pour le lendemain, l'un avec une journaliste ghanéenne qui voulait m'interroger sur le thème de la femme artiste et l'autre avec un journaliste de RFI, obsédé par la relation entre la peinture et la lutte contre la misère.

La semaine se passa sans que Yinka ne rappelât. Le programme du festival aidant, je m'étais fait une raison. L'ambiance de camaraderie dans la délégation, les rencontres avec d'autres artistes engagés dans les mêmes recherches et en butte aux mêmes difficultés que nous, les échanges avec les aînés, déjà consacrés, la découverte du monde noir dans toute sa variété, les discussions avec journalistes et spécialistes, d'Europe et d'Amérique, déclenchaient en moi une fièvre aussi brûlante que celle dont j'étais la proie quand je me retrouvais seule dans ma cachette. J'en venais à prendre de la distance avec mon travail, à porter un regard critique sur mon œuvre, et j'avais hâte de rentrer au pays pour me lancer dans de nouveaux projets. Je n'attendais plus Yinka, je n'avais plus besoin de lui. Il m'avait aidée, lors de son passage, en me conduisant par la main, à me révéler la contrée à laquelle je ne croyais plus, il ne tenait qu'à moi de poursuivre désormais le reste du chemin. J'avais vu, je savais, j'étais, je pouvais être une autre.

Lorsque, après plus d'une semaine, la réception de l'hôtel me tendit un message, je pensais qu'il provenait d'un participant au festival ou d'Anicet. Quand je découvris que c'était Yinka, l'envie me prit de le déchirer. Non pas en guise de réponse du berger à la bergère (ou de l'inverse, en l'occurrence), non pas, non plus, pour détruire un passé dont j'avais vu l'impasse, mais pour ne pas m'éloigner de la fête à laquelle je prenais alors plaisir. Il me proposait un rendez-vous pour le soir suivant. Celui où je devais précisément me rendre à un spectacle de théâtre que donnait une troupe afro-américaine. J'avais eu l'occasion de la voir à ses débuts, dans un petit théâtre de Harlem, l'année de mon séjour aux États-Unis. Une pièce dont tout le festival parlait et dont il était difficile de se procurer des places. J'en avais obtenu une, grâce à l'ingéniosité du jeune acteur qui, malgré mon attitude à son égard, se serait jeté dans une mare de crocodiles pour m'en rapporter une fleur. Je songeai un instant à donner une leçon à Yinka et à le laisser faire le pied de grue.

Après avoir balancé un court instant, j'ai fléchi. Je savais que je ne lui demanderais aucune explication de ses silences, j'étais prête à l'écouter, à entendre sa voix, à le sentir, à le laisser enfin me reprendre la main pour me conduire où bon lui semblerait.

Le jour convenu, je rentrai à l'hôtel plus tôt que notre délégation. Avec ma clé, le garçon de la réception me tendit un message. La convocation d'une réunion par le ministre empêchait Yinka de me rejoindre. C'était un vendredi soir. Le message continuait en reportant notre rencontre au mardi de la semaine suivante. Je me suis enfermée et, après avoir pleuré de rage, j'ai rédigé une longue lettre de rupture. Je l'avais recommencée plusieurs fois et je finis par la détruire. Il est bien connu que, dans ces situations, même les rats de bibliothèque ne peuvent se concentrer sur une ligne. J'ai finalement échoué devant la télévision qui présentait un reportage en direct sur le festival. Je reconnaissais au passage des visages aperçus dans la journée et moi, j'étais là, dans ma chambre, pour une raison que j'aurais eu honte à dévoiler.

Quand, le mardi suivant, Yinka s'annonça au téléphone, en avance sur l'heure convenue, je sortais à peine de la douche. J'avais prévu de le faire attendre en bas mais il ne m'en laissa pas le temps. Le timbre de sa voix anihilait toute volonté de résistance de ma part.

– C'est moi, je monte.

Quand j'entendis les coups contre la porte, je me maîtrisai et pris plaisir à jouer les sourdes. Sans précipitation, j'enfilai l'un des pagnes que je m'étais fait spécialement couper pour ce voyage. Au-dehors, Yinka avait beau sonner, insister, frapper contre la porte, je ne répondais pas. Il ne fallait pas qu'il me trouve en négligé, à moitié nue, comme si je cherchais à lui tendre un piège grossier.

Brusquement, les coups se sont arrêtés.

Retenant mon souffle, j'attendis qu'il frappe encore mais ce fut le silence. Sur la pointe des pieds, je m'approchai et collai mon œil au judas.

Personne !

J'ai couru jusqu'à l'ascenseur mais il n'était plus là. Je suis retournée dans ma chambre pour en prendre la clé, quand le téléphone a retenti de nouveau. C'était lui. Il appelait d'en bas. Je me suis excusée en prétendant que j'étais dans la salle de bains d'où l'on n'entendait rien.

Cette fois-ci, je l'attendis la porte ouverte. Il me regarda avec des yeux d'enfant émerveillé, ouvrit les bras, m'attrapa, me souleva et tournoya deux fois comme pour me donner le vertige. Nous avons perdu l'équilibre et nous nous sommes écrasés sur le lit. J'ai ri comme une folle. Sa forte odeur de kola et de santal a fait resurgir les journées oubliées. Déjà sa bouche cherchait mes lèvres et je ne savais pas comment me dérober. Je ne savais plus quel plan j'avais préparé, j'oubliais tout ce que j'avais minutieusement échafaudé pour garder les distances, pour discuter en ami, en frère, et, absolvant ma faiblesse, j'étais maintenant disposée à toutes les indulgences à son égard.

C'est peu de dire que je me laissais faire. Dans la danse

de feu, le cavalier ne conduit pas, il provoque l'inspiration de la partenaire. Possédée de plaisir, je suffoquais la première et c'est moi qui perdis pied. Et quand je crus la mer définitivement retirée, la grève à nue, je sentis le flux remonter, tendre les muscles de mon ventre et j'avouais deux fois encore la profondeur de ma sensualité. Je proclamai la gloire de l'acte secret avant de l'entendre rugir et s'abattre de tout son long sur moi, comme un fauve atteint par la flèche.

J'ai fermé les yeux pour mieux entendre la mélodie qui fredonnait dans ma poitrine. Des notes de balafon pures et légères.

Yinka a ensuite observé la période de recueillement qui parachève l'instant de prodige.

Tout était alors effacé, il eût été de mauvais goût de faire des reproches. Notre conversation ressemblait à celle de deux êtres qui ne se sont séparés que l'espace d'un court voyage.

Le téléphone nous a interrompus, mais je n'ai pas bougé. La sonnerie insistait de manière inconvenante et Yinka a voulu se lever pour décrocher, mais je l'ai retenu tout contre moi. Il a renoncé en me souriant et m'a embrassée avec tendresse. Était-ce le jeune acteur ou une amie de la délégation ? Peut-être Anicet depuis Brazzaville...

Épuisée, fourbue, je me sentais bien près de Yinka, respirant son odeur virile, recherchant un refuge dans ses bras de boxeur. Il m'a reprise de toute la puissance de son ventre. Je lui murmurais que c'était folie d'ainsi répéter, d'ainsi s'épuiser à en mourir, mais il sentait aux caresses de mes mains et de mes pieds, à la tension de tout mon corps, que j'étais heureuse de ce dépassement de l'être, et la lame de fond me souleva encore, nous emporta ensemble, haut, très haut, avant de me rejeter sur le sable, immergée de bonheur.

Nous nous sommes endormis.

A mon réveil, il faisait nuit dans la chambre et il avait allumé la lampe de chevet. Achevant de se reboutonner, il m'expliqua qu'il devait se presser. Ils recevaient des amis à dîner, ce soir-là, et sa femme n'aimait pas qu'il fût en retard dans ces occasions.

Mes lèvres n'ont pu retenir un mouvement de mépris.

Yinka a rappelé encore, quelques jours avant la fin du festival, m'indiquant les fourchettes horaires entre lesquelles je devais le rappeler, me recommandant de laisser, au besoin, un message à sa secrétaire.

Je n'ai plus cherché à le revoir et je n'ai plus entendu parler de lui jusqu'à cette rencontre, quelques années plus tard, lors du cocktail à la présidence, à Libreville où, devenu ministre, peut-être au sommet de sa carrière politique, il avait les moyens de se faire accompagner de Mrs Olayodé dans ses voyages.

Dans l'intervalle, le temps avait éparpillé les cendres.

Ce fut plus un peintre qu'une femme qui rentra de Lagos en février ou mars 1977. Je classai dans les plis de ma mémoire les souvenirs de la *romance* et lorsque la langue revenait du côté de la dent arrachée, je m'efforçai d'y penser avec détachement.

Je rentrai à Brazzaville encouragée par l'accueil fait à mes toiles mais consciente de mes limites. J'avais regardé attentivement les tableaux des collègues, discuté avec un grand nombre d'entre eux, et mesuré la distance à parcourir pour dépasser les frontières du Congo, ma province. Loin de m'abattre, les épreuves à franchir me stimulaient. Il fallait, au-delà des thèmes, travailler l'organisation et l'expression. Je passais de plus en plus d'heures dans ma cachette au dépens de mon ménage et souvent au détriment de mes cours, encore qu'il m'était possible de me reposer sur un acquis que je devais à mon séjour en pays anglophone.

Mon besoin de solitude était mal ressenti par Anicet et mon entourage. On me prenait pour une écervelée quand je tentais d'expliquer que l'artiste est comme un prophète qui a besoin de silence et d'isolement pour recevoir l'inspiration divine. Les nièces ricanaient sous cape et maman m'expliquait que j'étais seulement la proie d'une crise ; que tout cela passerait. J'ajoutais qu'il fallait économiser mes ressources en pratiquant l'abstinence sexuelle de manière à concentrer toute mon énergie créatrice sur mon art.

Furieux, Anicet ne disait mot mais me jaugeait de la tête aux pieds en me lançant le plus sauvage des regards dont il était capable. Il se plaignit à mère. Elle me dit que je filais un mauvais coton et fit appeler mon oncle, du village, pour venir me conseiller.

La vie commune dans la chambre devenait de plus en plus irrespirable. Nous avons failli nous séparer mais la famille est intervenue de part et d'autre et, après nous avoir entendus, les oncles maternels ont négocié et ont trouvé les termes d'un nouveau contrat.

En fait, nous nous étions l'un et l'autre plaints de tout, sauf de l'essentiel. Lui avait honte d'avouer, et moi je n'ai jamais su comment parler de *ça* aux parents.

Enfants de notre tribu commune, nous avons écouté les conseils, donné l'argent pour les sacrifices, bu les décoctions, pris les bains et suivi tous les traitements que nous prescrivirent les féticheurs de la famille.

Tant bien que mal, nous nous sommes accommodés de la coutume et, en gens civilisés, nous avons fait bonne figure, jusqu'à faire illusion.

J'exagère sans doute. Il y eut quelques surprises. Mais ce qui aurait dû être la loi n'était que l'exception. Et chaque fois qu'Anicet réussissait à capturer, pour mon bonheur, l'étoile filante dans ses filets, il voulait, le lendemain même, refournir la preuve de ses talents, et le souvenir heureux était ainsi tout aussitôt gâché. Combien de nuits normales, dans tout cela ? Ce serait procéder à des calculs de mauvais goût.

Les aperçus de bonheur qu'il nous advint d'entrevoir donnèrent envie à Anicet de consulter les médecins et de lire une littérature spécialisée, qu'il rapportait de ses missions en Europe et qui, au bout du compte, lui donna l'idée de ces vacances à Libreville. Son handicap était d'origine psychique et des vacances à allure de lune de miel devraient le détendre et l'aider à guérir. C'est ainsi que nous passâmes

219

trois semaines au bord de la mer, chez les Obiang. Déjà raconté.

D'après les points de repère que je possède, cela devait se situer en 1979 ou 1978. Plutôt en 1979. Cela ferait donc, aujourd'hui, onze ans. Comment être précise ? C'était donc deux ans après le festival de Lagos.

Mon pauvre Anicet ne pouvait pas se douter que son initiative allait, en rouvrant ma plaie, produire un effet inverse. Qui aurait pu prévoir que nous serions entraînés par nos hôtes à cette réception où, à ma grande surprise, nous allions nous trouver face à face, Yinka et sa femme d'un côté, Anicet et moi de l'autre ? L'un et l'autre à la fois dignes et hypocrites.

Malgré mon trouble, je crois qu'Anicet ne s'est douté de rien. Encore que, à plusieurs occasions, il m'ait fait remarquer que l'on trouvait, dans quelques-unes de mes toiles, un visage rappelant celui de ce ministre nigérian, si sympathique, que nous avions rencontré à Libreville.

Il m'a fallu plusieurs appels téléphoniques pour réussir à joindre l'Africaine. Je n'ai pas eu besoin de me décrire. Elle a immédiatement reconnu ma voix et a accepté mes conditions. Elle doit venir seule au rendez-vous.

Sur l'estrade, au bord de la pelouse, dans le soir qui se meurt, un orchestre joue pour les clients endimanchés. A leur type, on prendrait les cinq musiciens pour des nègres d'Afrique centrale. Ils jouent un tango lent, que cadence un tam-tam maîtrisé. Je crois reconnaître la mélodie. Un air oublié qui remonte de la mémoire et me donne une sensation de déjà vécu.

La femme est devant moi, vêtue d'une combinaison fuselée en laine ivoire, sans col et sans manches, qui souligne sa silhouette moulée par les mains d'un sculpteur classique. Sa tenue ensoleille un teint huile de palme, proche de celui d'une mulâtresse.

Nous n'avons pas attendu que la serveuse vienne prendre la commande pour engager la conversation.

– Pourquoi, lui dis-je avec douceur, pourquoi voulez-vous que je sois africaine ?

Elle a souri, a hésité, a esquissé une mimique de honte et a haussé timidement les épaules. La serveuse nous a interrompues. Elle a commandé une bière. De la Heineken. Je l'aurais parié.

– Puis-je répéter ma question ?

– S'il vous plaît.

Elle a regardé à la dérobée deux jeunes gens qui passaient en frôlant notre table.

– C'est à cause de la chanson que vous avez chantée l'autre soir, lâche-t-elle, après un ton d'hésitation.

Elle a la poitrine généreuse. Elle sort de son bain et sent bon le romarin.

– Vous en compreniez les paroles ?

Elle secoue faiblement la tête de droite à gauche. Rassurée, je pousse mon avantage. Elle s'embrouille dans une explication confuse mais je comprends ce qu'elle veut exprimer.

– ...Moi je suis gabonaise, mais...

Elle a recours à ses mains et a de larges gestes pour mieux se faire comprendre.

– Alors, conclut-elle avec déception, vraiment, vous n'êtes pas africaine ?

Je hoche finalement la tête en la regardant droit dans les yeux.

– Vous l'êtes ?...

Elle se sent soulagée et avale une gorgée de bière.

– Quel pays ?

Elle lèche la pellicule de mousse sur ses lèvres.

– Congo. Mais je l'ai quitté depuis longtemps.

Je dois toussoter pour m'éclaircir la voix.

– Depuis quelle année ?

Ma réponse la gêne et elle fronce le sourcil. Elle pousse un cri d'étonnement et je crains qu'elle n'attire l'attention des tables voisines. Je lui ai adressé un sourire de sympathie parce que cette spontanéité a brusquement fait resurgir des images de l'enfance et de l'adolescence.

– Depuis cette date-là, tu n'es jamais rentrée ?

Je secoue la tête. Elle n'a pas dû remarquer son glissement vers le tu.

– Jamais, jamais, jamais ?

La bouche ouverte, elle n'ose y croire. Mes mains jouent avec le dessous-de-verre en carton.

L'un des musiciens sur l'estrade s'avance vers le micro.

Mets du feu dans la cheminée
Je reviens chez nous

La voix imite celle d'un chanteur de charme métropolitain.

— Mes parents m'ont envoyée en France alors que j'étais petite. Dès la sixième. Ensuite, ... leur situation... ils ont connu des difficultés. Une famille française, mes correspondants, m'ont obtenu une bourse. Puis...

La chanson dilue l'accent mais on dirait que le chanteur est bien d'ici.

S'il fait du soleil à Paris
Il fait beau partout

Si j'avais connu ces paroles, je ne les aurais jamais oubliées. Pourtant, je jurerais avoir dansé un jour, quelque part, au rythme de ce boléro.

Un geste vague de ma part avant de poursuivre.

— Ensuite, j'ai eu peur.

— De quoi ?

Elle éclate d'un rire moqueur. A mon tour de hausser les épaules et d'avaler une gorgée de porto.

— Pas d'un pays, bien sûr. D'un univers.

Je ne sais si la femme me regarde avec dégoût ou avec pitié. Sans doute les deux. Je lui offre une cigarette, mais elle ne fume pas. J'avale une longue bouffée et l'observe à travers le nuage de fumée.

— Hier, lui dis-je, vous avez parlé d'une Madeleine.

— Oui.

Brusquement saisie, elle me regarde avec effroi. Je baisse les yeux et caresse le bord du verre de ma main libre.

— J'avais une sœur... Une jumelle... Elle s'appelait aussi Madeleine... Elle est morte.

223

– Congolaise ?

– Je vous l'ai déjà dit.

J'évite son regard. Mes yeux cherchent quelque chose au loin, du côté de la mer. Elle vide le fond de son verre avant d'y verser le reste de la bouteille qu'elle boit en fermant les yeux.

– Je l'ai connue, chuchote la femme. Maintenant, je comprends.

Je lève l'index pour appeler la serveuse.

Il est injuste de tant souligner les ratés d'Anicet amoureux. Nous eûmes, je l'ai déjà dit, mais trop vite, des rencontres étonnantes. Ces étoiles filantes auraient pu m'aider à accepter le reste et à prendre mon parti. Tel n'est-il pas le lot de plus de femmes qu'on ne le pense ?

Mais il y avait eu Yinka. Son passage a réveillé mes exigences.

Il y eut, surtout, une explication orageuse. Il y en avait eu auparavant. Mais jamais un mot de trop n'avait été prononcé. Chacun avait su quand s'arrêter dans ces exercices d'exorcisme.

Cette nuit-là, nous venions de faire l'amour, une fois encore sans grand succès. Nous nous expliquions, cherchant comme toujours le remède à notre situation. J'ai osé quelques conseils. Blessé, il a rétorqué que tout dépendait de moi, que tout irait mieux le jour où je me déciderais à soigner ma frigidité. Et pour enfoncer le couteau jusqu'à la garde, il a ajouté que désormais il possédait la preuve que c'était moi qui semait le sable dans son couscous. Interloquée, je l'ai regardé avec des yeux de folle. Mais il ne me voyait pas dans le noir. Baissant la voix, il avoua avoir connu une autre femme. Depuis lors, il savait qu'il était bien un mâle, un vrai.

Et moi d'éclater de rire.

Il a bredouillé des excuses, assurant qu'il n'avait pas fait cela pour me faire mal ; que c'était un sexologue, consulté au cours d'une mission en France, qui lui aurait suggéré cette expérience. Et moi, je continuais à rire, comme s'il s'agissait d'une plaisanterie qui ne prêtait pas à conséquence. Et quand je voulais m'arrêter, je riais encore plus. Un rire de bon cœur. Anicet, effrayé, a allumé la lampe de chevet.

– C'est bien, lui ai-je dit, en lui passant la main dans les cheveux, c'est bien.

– Tu ne m'en veux pas ?

Je ne riais plus, et le rassurai d'un sourire apaisé.

Il s'est lancé dans l'histoire de sa conquête, cherchant à en décrire les épisodes avec délicatesse puis s'est brusquement interrompu.

– C'est tout ? lui ai-je demandé d'un ton maternel.

– Tu veux... tu veux tout savoir ?

J'ai haussé les épaules.

– Pas ce soir, a-t-il chuchoté, après avoir souri.

Il a éteint la lampe de chevet et s'est blotti dans mes bras. Nous ressemblions à des frère et sœur qui se consolent mutuellement. Il fut le premier à s'endormir tandis que je regardais droit devant moi dans le noir.

Peu de temps après, j'ai entendu le grondement d'un orage qui arrivait au-dessus de la ville. Une chaleur plus lourde que de coutume avait rendu l'après-midi pénible. Je me suis levée pour me servir un verre d'eau. Au-dehors, le vent faisait bruisser les feuilles des arbres et balayait le sol en tourbillonnant. Dans la nuit, Simba a hurlé à la mort. Ce devait être la pleine lune.

Avant de disparaître, j'avais songé à laisser une lettre d'adieu. Je l'avais même rédigée, enfermée dans ma cachette. Après plusieurs brouillons successifs, j'ai tout déchiré parce que je ne trouvais pas, à la relecture, ce que j'y voulais réellement exprimer. Elle était adressée à Anicet. Je n'y disais mot de la véritable insatisfaction dont nous avions souffert. Juste une formule abstraite et générale. La vie nous avait entraînés dans des voies différentes et, sans nous en rendre compte, nous nous étions lâché la main, avant de nous égarer sur les bords opposés du chemin, sans jamais pouvoir nous retrouver.

Pourquoi avoir tout abandonné, brûlé ce qui m'était le plus précieux, changé d'identité, avoir franchi le fleuve, la mer, l'océan, pour changer de plumage, comme un oiseau à la veille d'une saison nouvelle ? Il aurait suffi de lever les ambiguïtés, de rompre et continuer à vivre là-bas... Les couples qui se séparent sont monnaie courante chez nous et nul ne leur jette la pierre. Nous ne sommes pas, Dieu merci ! une société où on lapide la femme adultère.

C'est qu'une force irrésistible, quelque part dans ma poitrine, me répétait de couper les liens et de m'en aller. Était-ce la voix de l'ange qui me chuchotait à l'oreille ou la main du démon qui m'entraînait alors ? Ai-je agi par courage ou par lâcheté ?

Même aujourd'hui, je n'ai pas de réponse à toutes ces questions. Que de suicides demeurés sans réponse !...

Notre problème était celui d'un homme et d'une femme placés face à face, l'un et l'autre dans leur nudité. Nous étions assez grands, possédions assez d'expérience, pour rectifier notre vie par nous-mêmes, sans avoir besoin de faire appel aux oncles du clan. Mais quel couple existe-t-il, chez nous, sans la famille ? Deux époques cohabitent dans notre société. J'ai eu peur de l'une d'entre elles. On peut, au pays, affronter l'État, on peut défier la loi, on peut blasphémer et faire des incartades, il existe à chaque occasion des formules de repêchage. Pas pour ceux qui osent se dresser contre la coutume.

Aujourd'hui, j'ai oublié le pays, et quand j'y pense c'est par inadvertance. Quand j'entends des professions de foi sur l'amour de la terre natale, je me tais. Quand la voix d'un poète exilé me trouble, je m'accuse d'avoir un cœur de bête.

227

S'il m'arrive d'être interrogée sur mes origines, je réponds, sans aucune hésitation, que je suis fille du Moule, la commune de Rico. Aux plus curieux, j'explique que mes parents ont émigré en France, il y a de cela déjà plusieurs décennies, et que mon père a fait carrière dans les colonies. Les traces d'accent que je n'arrive pas à effacer, quand je parle créole, ne me trahissent guère, tant le nombre d'Antillais à avoir passé leur première enfance en Métropole, en Indochine ou en Afrique est grand ici.

Tous les mois, j'envoie un mandat à ma mère, en prenant soin, chaque fois, de le poster d'une commune différente, pour effacer tout indice susceptible de mettre un limier sur mes traces. Peut-être que maman est déjà morte.

Elle revient souvent me hanter dans mon sommeil.

Il reste encore de la bière dans la bouteille de l'Africaine. Je lui propose une seconde tournée. Elle sourit niaisement, hausse les épaules et baisse la tête. Je dois reposer ma question.

– Ça ne fait rien, lâche-t-elle d'un air résigné.

J'ai compris le français codé de chez nous. La nuit va tomber et on distingue à l'horizon, côté mer, une fine ligne rougeoyante.

– Savez-vous de quoi Madeleine est morte ?

Clarisse prend un air embarrassé et soupire. Je n'insiste pas et passe à autre chose. Je l'interroge sur son séjour aux Antilles. Le pays la fascine, elle aimerait y vivre, même si elle égratigne aux passages ses habitants.

– Trop francisés.

Une grimace accompagne son propos. Je tente de lui expliquer les îles. Leurs habitants ne sont plus des Africains et il ne faut pas leur en vouloir. Je ne suis pas sûre qu'elle me suive. Elle m'interrompt soudain.

– C'est bizarre, vous avez la même voix. En t'écoutant, je crois entendre parler Madeleine. Même...

Elle pousse encore un soupir et fait une mimique pour indiquer son effarement.

– Nous étions deux vraies jumelles.

Je lui demande si elle a assisté à l'enterrement de Madeleine.

Elle a un mouvement de recul.

– Enterrement ? Y en a pas eu. On n'a jamais retrouvé le corps.

Elle fait discrètement un signe de croix et avale une gorgée de bière.

– Nous avons seulement assisté aux dernières veillées, aux matangas, comme on dit chez vous. Un an après, son mari nous a également invités au retrait de deuil.

– Anicet ? Anicet Atipo ?

Elle baisse la voix qui prend un accent nostalgique.

– C'est ça. Un grand ami de mon mari. Pas de celui-ci. De l'autre, le premier. Obiang.

Honteuse, elle me regarde par-dessous ses sourcils. Je demeure imperturbable et lance un nuage de fumée entre nous.

– C'est bien ce qu'on m'a rapporté, dis-je à voix basse. On n'aurait jamais retrouvé son corps. Et c'est l'une des raisons pour lesquelles je n'ai pas voulu me rendre à toutes ces cérémonies. Cet accident m'a paru étrange.

– Tu crois, toi, que c'était un accident ?

– Comment savoir ?

Des bornes lumineuses sur la pelouse éclairent maintenant les jardins de l'hôtel. J'ai peur que mon interlocutrice soit obligée d'abréger notre conversation à cause de l'heure.

– Selon Anicet...

Elle hésite un moment.

– Selon son mari, elle se serait suicidée. La nuit précédente, elle a tout brûlé.

– Tout ?

– Oui, toutes ses toiles. Tu savais qu'elle peignait, ta sœur ?

Elle avale lentement plusieurs gorgées de bière. Je baisse la tête et tripote mon sac.

– Moi, poursuit-elle le visage sombre, moi je n'arrive pas à comprendre. La veille, c'était l'anniversaire d'Anicet. Pris par son travail, il l'avait oublié mais elle avait tout organisé en secret. Selon Anicet, ce fut, depuis leur mariage, le plus beau de ses anniversaires. Une fête en son honneur à lui. Elle avait invité leurs amis les plus proches et mis un pagne splendide. Une tenue cousue dans un tissu qu'Anicet lui avait ramené de Lomé. Elle lui a offert une montre de prix et, après avoir soufflé sur les bougies, comme les Blancs font en ces occasions, ils ont dansé jusqu'à deux ou trois heures du matin. J'ai pu interroger plusieurs convives, tous sont catégoriques. Madeleine n'a dansé cette nuit-là avec personne d'autre que son mari. Quand Anicet te raconte ça, ma chère, il se prend la tête entre les mains et pleure. Il pleure comme un enfant et dit que ce n'est pas juste.

Clarisse précise encore qu'elle a eu l'occasion de rencontrer Anicet à Libreville, il y a de cela quelques mois à peine. Il y effectuait une mission pour le compte de son entreprise. Le malheureux ne comprend toujours pas ce qui s'est passé.

J'ai eu l'impression que les yeux de mon invitée avaient légèrement rougi, mais elle a tourné la tête.

– Tu sais, ta sœur, c'était...

L'Africaine s'arrête pour avaler sa salive avant de reprendre...

– Anicet dit qu'il ne retrouvera jamais une telle femme.

– Il ne s'est pas remarié ?

– Si, mais tout récemment seulement.

– Vous connaissez sa nouvelle épouse ?

L'Africaine fait non de la tête. Deux hommes et une femme s'asseyent à une table non loin de nous. L'un d'eux jette à la dérobée des regards du côté de notre table.

– Non. Il ne veut pas l'amener au Gabon. Pour lui, Libreville c'est Madeleine... Pourquoi souris-tu ?

– Pour rien. J'ai vu passer derrière vous un ami qui m'a fait un signe.

L'Africaine se retourne un instant puis reprend son récit en me fixant dans les yeux.

231

– La fête s'est terminée vers deux heures ou trois heures du matin. Vers cinq heures, Madeleine s'est glissée hors du lit. Son mari n'y a rien vu d'anormal. Souvent, paraît-il, elle se levait ainsi de bonne heure, pour son travail... C'est vrai ?

– C'est vraisemblable. Quand nous étions petites, effectivement, ma mère disait que Madeleine tenait cela de notre grand-mère qui, raconte-t-on, était toujours debout la première. Les gens prétendaient que, sans elle, le soleil aurait oublié de se lever.

La femme rit et me révèle qu'il existe dans leur langue aussi un dicton semblable à cette expression. Son visage s'assombrit un instant comme si elle faisait un effort de concentration. Son regard et celui de l'homme à la table voisine se sont rencontrés. Elle l'a défié un moment et c'est l'homme qui, le premier, a détourné la tête. J'ai vu la poitrine de Clarisse se gonfler. Elle boit une gorgée de bière et me sourit, m'interrogeant du regard, pour savoir où nous en sommes. Après un profond soupir, elle reprend le cours de son récit.

– Quelques instant après, Anicet a entendu grincer le portillon d'entrée. Il a entendu le bruit d'une voiture... Le bruit bien caractéristique d'un moteur de VW...

Elle dit Véwé, comme les Zaïrois.

– Madeleine aimait les Véwés... Anicet ne s'en est pas alarmé. Il lui arrivait de s'en aller ainsi en promenade le matin de bonne heure. Elle aimait le silence de l'aube. Au cours de leur séjour à Libreville, je m'en souviens, elle m'avait dit que c'était le moment où l'on rencontrait dans la rue et dans les campagnes les gens les plus sains.

L'Africaine toussote plusieurs fois et a du mal à chasser le chat dans sa gorge. J'écrase ma cigarette dans le cendrier et m'excuse. Elle me sourit et avale une gorgée de bière.

– Elle allait peut-être faire des repérages de paysages pour un tableau.

– Elle peignait donc, vraiment ?

– Je ne l'ai su que bien plus tard. C'est son mari qui me

l'a révélé. Il semblerait qu'elle ait peint quelques tableaux lors de son séjour à Libreville. J'en ai quelques-uns à la maison. Des portraits de moi qu'elle a fait sans que je m'en rende compte.

– Ne m'avez-vous pas dit qu'elle avait brûlé toutes ses toiles ?

La femme sourit.

– Elle a cru avoir tout détruit mais quelques-unes ont été épargnées. Elle a dû les oublier.

Elle sourit encore et précise que les tableaux qu'elle possède portent les initiales de la défunte : M. A.

Le grondement des réacteurs d'un avion a couvert sa voix. C'était le courrier de Paris.

– Dans la soirée, on a retrouvé la voiture de Madeleine au bord des rapides du Djoué. Pas de lettre, aucun message. La clé était plantée dans la fente du démarreur. Les premiers arrivés ont noté la trace de ses pas sur le sable. Ils allaient de la voiture au fleuve.

– Noyée ?

Elle hausse les sourcils et les épaules.

– Moi, ça me paraît bizarre. Un jour, à Libreville, il y a de cela maintenant plus de dix ans, nous les avions emmenés passer un week-end au cap Estérias. Mon premier mari y avait une baraque de week-end. Nous nous y sommes baignées... C'était une bonne nageuse... Et puis, on n'a jamais retrouvé le corps.

– Si c'est au Djoué, vous savez... Chaque année, des baigneurs y disparaissent et jamais le fleuve ne les rend.

Les trois musiciens au type africain jouent les dernières notes d'un succès de la saison dernière. Mon interlocutrice et l'homme de la table voisine se jettent des regards de biais comme s'ils se menaçaient. J'allume une autre cigarette et relance l'Africaine.

– A votre avis ?

– Ah !

233

Elle remue sur sa chaise, baisse la tête et me montre la paume de ses mains.

– Certains disent qu'elle se serait... enfin qu'elle s'est donné la...

Elle me regarde comme si elle en avait trop dit.

– Que répond son mari à cela ?

Elle esquisse une moue perplexe.

– Avait-elle déjà fait des tentatives ?

Elle secoue doucement et discrètement la tête de droite à gauche.

– Qui peut savoir ?

Dans le long soupir que pousse la femme, se lit toute une philosophie que je connais bien.

– Elle n'avait aucune raison de se donner la mort. Elle était heureuse. Elle réussissait bien dans son travail et son ménage marchait.

– Apparemment.

L'Africaine a l'air profondément absorbée dans des pensées que je ne peux saisir. Les musiciens sur l'estrade jouent *Adieu Marie-Galante*.

– C'est vrai. Moi aussi, dit-elle sur un ton de confidence, moi aussi quand j'ai quitté mon premier mari, personne n'a compris. Et pourtant... Vous savez, madame, personne ne sait ce que voient les draps entre lesquels dort un couple...

Elle soupire encore et moi je bois lentement mon porto. Le silence est dur à supporter. Le guitariste, le joueur de maracas et le batteur de ka s'emploient à diffuser une musique apaisante. L'air est calme et lourd. Les occupants de la table voisine se lèvent, et l'Africaine tourne la tête pour ne pas rencontrer le regard de l'homme.

– Bizarre, dis-je, en écrasant mon paquet de cigarettes vide.

– Bizarre, oh, reprend la femme. Même qu'on a cru la voir.

Je la considère avec curiosité et l'encourage du regard et d'un sourire.

— Oui, des gens disent avoir aperçu Madeleine dans un village du côté de Boko, d'autres sur l'autre rive, à Kinshasa. Le pauvre Anicet s'est déplacé, a lancé des avis de recherche, suivi mille pistes, dépensé de l'argent auprès de gens qui lui avaient fourni des bribes d'informations, payé des féticheurs et toutes sortes de clairvoyants, tout ça pour rien, oh... Y en a même qui ont assuré avoir vu Madeleine à Paris.

J'ai une quinte de toux.

— Tu fumes trop, ma sœur, me dit l'Africaine d'un air préoccupé.

— Oui, je dis toujours qu'il faudrait m'arrêter. Je manque de volonté. Casser les habitudes, ...

— On voit que tu as quitté le pays depuis trop longtemps. Là-bas, chez nous, les femmes ne fument pas. Du moins, pas les cigarettes.

Et elle pouffe de rire en mettant sa main devant la bouche. Les trois musiciens entament un air trinidadien dont j'ignore le titre mais que j'ai souvent entendu interpréter par des formations de steel-band.

— Tu sais, reprend-elle, tu sais, la police et les hommes ne peuvent tout expliquer.

Elle me regarde fixement.

— Tu ne peux pas tout comprendre. Encore une fois, tu as trop longtemps vécu en dehors du pays. Y a des... Y a... Quelquefois, des gens ont disparu des années entières. Et puis, un jour, ils ont resurgi, sortis d'on ne sait où. Quand on les interrogeait, ils ne se souvenaient pas de ce qui leur était arrivé.

— Les Andzimbas...

La serveuse passe nettoyer la table et je propose une troisième tournée à mon interlocutrice. Elle regarde sa montre et pousse un cri d'horreur.

235

– « Pendant-les-vacances » va s'inquiéter !

Et elle m'explique qu'elle appelle son mari « Pendant-les-vacances », un sobriquet qui n'a de sens qu'entre eux.

Je la retiens encore un instant. Je voudrais lui demander ce qu'elle sait de la mère de Madeleine. Mais une Africaine ne comprendrait pas qu'une fille ne cherche pas à savoir directement des nouvelles de celle qui l'a mise au monde.

Demain, Rico et moi nous nous envolerons pour les Caraïbes anglaises.

COMPOSITION : IMPRIMERIE HÉRISSEY À ÉVREUX (EURE)
IMPRESSION : S.N. FIRMIN-DIDOT AU MESNIL (EURE)
DÉPÔT LÉGAL : MAI 1992 − N° 16873 (20598)